Nueva Edición

Socios.

Curso de español orientado al mundo del trabajo
Cuaderno de ejercicios

1

Jaime Corpas
Lola Martínez

Socios 1
Cuaderno de ejercicios

Autores
Jaime Corpas, Lola Martínez

Asesoría y revisión
Antonio Barquero, Sandra Becerril, Francisco González, Virtudes González

Coordinación editorial y redacción
Eduard Sancho

Diseño y dirección de arte
Nora Grosse, Enric Jardí

Maquetación
Pablo Luces

Ilustración
Joma, Daniel Jiménez

Grabación
CYO. **Locutores** Cristina Carrasco (España), César Chamorro (México), Susana Damas (España), José Luis Fornés (España), Osvaldo López (España), Bruno Menéndez (España), Hernando Mesa (Colombia), María Inés Molina (Argentina), Jorge Peña (España), Amalia Sancho (España)

Fotografías
© **Cubierta** Charlie Edwards/Digital Vision/Getty Images, Gregor Schuster/Getty Images; **Unidad 1** pág. 8 Jorge Aragonés; **Unidad 2** pág. 18 Dana Menussi/Stone+/Getty Images; pág. 23 Ken Hurst/Fotolia, Nicholas Sutcliffe, Andrés Rodríguez/Dreamstime; **Unidad 3** pág. 28 Gregor Schuster/Getty Images; pág. 30 Argentina. Secretaría de Turismo.Presidencia de la Nación, Anna Tatti, Grigory Kubatyan/Fotolia, Alexander Van Deursen/Fotolia, Anna Tatti, Antonio Negrão/Dreamstime, Dario Diament/Dreamstime; pág. 34 Fargo; pág. 35 Dreamstime; **Unidad 4** pág. 36 Emmanuel Faure/Taxi/Getty Images; pág. 41 Robert Lerich/Dreamstime; pág. 50 Gina Smith/Dreamstime, Mehmet Dilsiz/Dreamstime, Karen Struthers/Dreamstime, Iryna Kurhan/Dreamstime; **Unidad 5** pág. 46 Anne Ackermann/Taxi/Getty Images; pág. 56 Sundeip Arora, Gianluca D'elia/Dreamstime, Tap, R Knauer, Olga Shelego/Dreamstime, Radu Razvan/Dreamstime, Pipo, Aleksandar Jocic/Dreamstime, Gaston Thauvin, Pipo, Melissa Ramirez, Nick Winchester; pág. 62 Photodisc; **Unidad 6** pág. 64 Christian Hoehn/Taxi/Getty Images; pág. 66 Ruta Saulyte-laurinaviciene/Dreamstime; pág. 68 Milanka Petkova/Dreamstime, Arnauld Ehret/Fotolia, Will Iredale/Dreamstime; pág. 71 Photodisc, Kia Abell, Yury Shirokov/Dreamstime, Ali Mazraie Shadi/Dreamstime, Scott Auch/Dreamstime; pág. 75 Vadym Nechyporenko/Dreamstime, Tetiana Akrytova/Dreamstime, Dan Thomas Brostrom/Dreamstime, Gordon Ball/Dreamstime, James Phelps/Dreamstime, Denis Vorob'yev/Dreamstime, Piotr Przeszlo/Dreamstime, Tatiana Nikolaevna Kalasnikova/Dreamstime, James Phelps/Dreamstime, Andris Daugovich/Dreamstime, Jasmin Krpan/Dreamstime, Design-studio/Dreamstime; pág. 77 Mikel Arrazola/Archivo "Argazki" Eusko Jaurlaritza-Gobierno Vasco, Matty Symon/Dreamstime, Olivier Le Queinec/Dreamstime, Dusty Cline/Dreamstime, Ron Hilton/Dreamstime; **Unidad 7** pág. 80 Jorge Aragónes; pág. 81 Stefan Bieschewski; pág. 84 Michael Drager/Dreamstime, Eastwest Imaging/Dreamstime, Lee Foster/Dreamstime, Ron Chapple/Dreamstime, Mark Stout/Dreamstime, Kathy Wynn/Dreamstime, José Manuel Gelpi Díaz/Dreamstime, Pascale Wowak/Dreamstime; **Unidad 8** pág. 92 David Lees/Taxi/Getty Images; pág. 94 Abigail Guzmán; pág. 95 Andrés Rodríguez/Dreamstime, Jason Stitt/Dreamstime; pág. 96 Jorge Aragonés; pág. 97 Andrés Rodríguez/Dreamstime, Gataloca/Dreamstime; pág. 98 Stasys Eidiejus/Dreamstime; **Unidad 9** pág. 104 Reza Estakhrian/Stone/Getty Images; pág. 106 Andrés Rodríguez/Dreamstime, Jorge Aragonés, Photodisc, Bruno Passigatti/Dreamstime, Blphotocorp/Dreamstime, David Lewis/Dreamstime, Dimitrije Paunovic/Dreamstime, Simone Van Den Berg/Dreamstime; pág. 109 Stefano Carboni/Stockxpert, Dainis Derics/Dreamstime, Ana Vasileva/Dreamstime, Diego Cervo/Dreamstime, Alvin Teo/Dreamstime, Nikanovak/Dreamstime, Christophe Testi/Dreamstime, Xaoc/Dreamstime, Lai Leng Yiap/Dreamstime, Konstantin Tavrov/Dreamstime; pág. 111 Rangerx/Dreamstime, Erik Lam/Dreamstime; pág. 112 Kirill Zdorov/Dreamstime, Tomasz Trojanowski/Dreamstime, Alexander Raths/Dreamstime; pág. 113 Eastwest Imaging/Dreamstime; pág. 114 Michael Shake/Dreamstime, Eduard Sancho, Stocksnapper/Dreamstime, William Berry/Dreamstime, Luminis/Dreamstime, Janis Rozentals/Dreamstime, Lukasz Kwapien/Dreamstime, Iulius Costache/Dreamstime, Andrey Grigoryev/Dreamstime, Kirsty Pargeter/Dreamstime, Alcoholic/Dreamstime, Graça Victoria/Dreamstime, Andrzej Tokarski/Dreamstime, Valentin Mosichev/Dreamstime; **Unidad 10** pág. 118 Paul Vozdic/The Image Bank/Getty Images; pág. 120 Agg/Dreamstime; pág. 122 Pauline Breijer/Dreamstime; pág. 126 Andrés Rodríguez/Dreamstime, Manfred Steinbach/Dreamstime, Johann Helgason/Dreamstime, Pavel Losevsky/Dreamstime; pág. 128 Ioana Greco/Dreamstime; **Unidad 11** pág. 130 Richard Kolker/Photonica/Getty Images; pág. 131 João Coutinho/Dreamstime, Bibiana Tonnelier; pág. 135 Yuri Arcurs/Dreamstime, Phil Date/Dreamstime, Mathieu Viennet/Dreamstime, Showface/Dreamstime, Bora Ucak/Dreamstime, Dana Bartekoske/Dreamstime, Mathieu Viennet/Dreamstime, Rayna Canedy/Dreamstime; pág. 138 Atanas Ivanov/Dreamstime, Mario Savoia/Dreamstime, Didier Kobi/Dreamstime, George Mayer/Dreamstime, Crni_arapin/Dreamstime, Monika Adamczyk/Dreamstime, Nikolay Okhitin/Dreamstime, Luminis/Dreamstime; **Unidad 12** pág. 142 Zia Soleil/Iconica/Getty images; pág. 143 Wikimedia Foundation,Inc.[1], Microsoft, SEGA, Eduard Sancho, Monika Adamczyk/Dreamstime, Apple Inc., Freud/Dreamstime; pág. 149 Photodisc, Iryna Kurhan/Dreamstime, Alexander Raths/Dreamstime, Mikhail Lavrenov/Dreamstime; pág. 151 Jacek Malipan/Dreamstime; pág. 157 AHP Lugo. Fondo Vega. Signatura: 130.

[1] © Wikimedia Foundation, Inc. Wikipedia es una marca registrada de the Wikimedia Foundation, Inc., una organización sin ánimo de lucro. Puede hacer sus donaciones a la Wikipedia en http://wikimediafoundation.org/wiki/Donaciones

Agradecimientos
Miguel Dupont/Fargo, Kampa, Paco Lara/Apple España, Delphine Ménard/Wikimedia Foundation, Paz Pérez/Google.es, Alicia Vicente/Asesores de Relaciones Públicas y Comunicación (Microsoft)

© Los autores y Difusión, S.L. Barcelona 2007
ISBN: 978-84-8443-416-0
Depósito Legal: B - 32.503 - 2007
Impreso en España por Tesys Industria Gráfica S.A.

difusión
Centro de Investigación y Publicaciones de Idiomas, S. L.

C/ Trafalgar, 10, entlo. 1ª
08010 Barcelona
Tel. (+34) 93 268 03 00
Fax (+34) 93 310 33 40
editorial@difusion.com

www.difusion.com

Presentación

Socios es un curso dirigido especialmente a estudiantes que necesitan el español para desenvolverse en ámbitos laborales. Tiene el doble objetivo de iniciar al alumno en el español y de introducirlo en las peculiaridades de la lengua que se usa en el mundo del trabajo. Esta **nueva edición** responde al éxito que ha tenido el manual desde su publicación y es el resultado de un exhaustivo proceso de evaluación de los contenidos, llevado a cabo por sus autores y por un grupo de expertos de diferentes ámbitos: profesores de escuelas de hostelería, de cursos de español para el mundo laboral, de turismo, de formación profesional, etc. Sus comentarios, propuestas y sugerencias han sido claves en el proceso de revisión.

El **Cuaderno de ejercicios** tiene como objetivo consolidar y ampliar los contenidos gramaticales, léxicos y comunicativos del *Libro del alumno*, así como facilitar al alumno la evaluación y toma de conciencia de su proceso de aprendizaje. Las actividades proponen siempre mecanismos motivadores que implican al aprendiz personalmente y que le ayudan a desarrollar sus destrezas. Cada unidad incorpora, además, una actividad en la que se trabajan aspectos fonéticos y de pronunciación. Cada tres unidades, la sección *Comprueba tus conocimientos* permite al alumno evaluar los conocimientos gramaticales y léxicos adquiridos en las tres unidades precedentes así como su progresión en las diferentes destrezas.

La mayoría de las actividades del *Cuaderno de ejercicios* han sido diseñadas para que puedan realizarse de forma individual, bien en casa o en clase, al hilo de las actividades del *Libro del alumno*. Aquellas que requieren un trabajo de interacción oral entre dos o más estudiantes incluyen muestras de lengua que sirven como modelo para las producciones orales de los alumnos. Las actividades de comprensión auditiva están señaladas con su correspondiente icono. El número que aparece indica en qué pista del CD se encuentra la grabación. Asimismo, hemos destacado aquellas propuestas susceptibles de ser incorporadas al **Portfolio europeo de las lenguas**.

Como novedad, el *Cuaderno de ejercicios* incluye un apartado con propuestas de explotación de los reportajes del primer volumen del DVD **Socios y colegas**. Estas actividades permiten trabajar aspectos formales de la lengua correspondientes a las diferentes unidades del manual y desarrollar aspectos interculturales del mundo laboral y empresarial. Asimismo, con el objetivo de favorecer la autonomía del aprendiz, hemos incluido también en el *Cuaderno de ejercicios* el **CD audio** con las grabaciones del material auditivo así como las **transcripciones**.

Índice

Me llamo Marta

1

En clase de español

1. Relaciona los dibujos con los verbos.

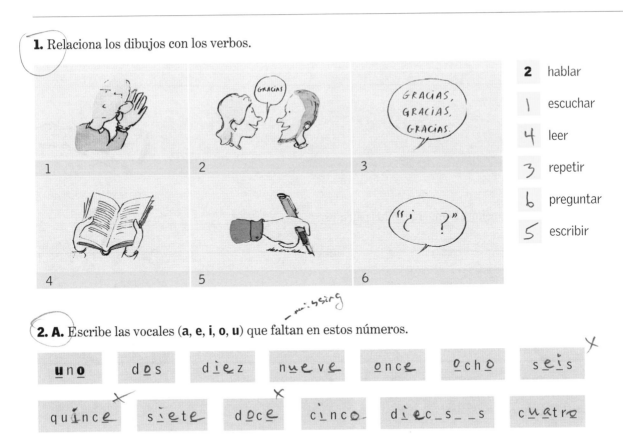

2 hablar

| escuchar

4 leer

3 repetir

6 preguntar

5 escribir

— missing

2. A. Escribe las vocales (**a**, **e**, **i**, **o**, **u**) que faltan en estos números.

u n o   d o s   d i e z   n u e v e   o n c e   o c h o   s e i s ✗

q u i n c e ✗   s i e t e   d o c e ✗   c i n c o   d i e c _ s _ _ s   c u a t r o

B. Mira la página 148 del *Libro del alumno* para comprobar que lo has hecho bien.

words   oír - to hear

CD 1 **3. A.** Escucha y escribe las palabras que oyes.

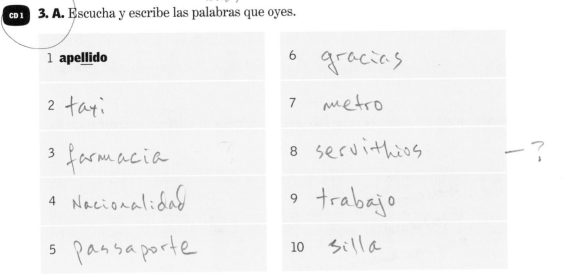

1 **apellido**

2 taxi

3 farmacia

4 Nacionalidad

5 passaporte

6 gracias

7 metro

8 servithios   — ?

9 trabajo

10 silla

CD 1 **B.** Escucha otra vez las palabras y subraya, como en el ejemplo, la sílaba tónica.

CD 2 **4.** Nueve personas entran en un avión. Escucha y toma nota del asiento de cada pasajero.

1	4	7
2	5	8
3	6	9

haces ?. use.

5. A. Tu calculadora no funciona bien. Haz tú los cálculos.

dos	+	uno	x	tres	=	**nueve**
nueve	–	cinco	+	diez	=	catorce
doce	+	ocho	–	cinco	=	quince
diez	:	cinco	+	quince	=	diese siete
once	+	seis	–	cuatro	=	tres
dieciséis	+	cuatro	:	dos	=	quince

> + **más**
> – **menos**
> x **por**
> : **entre**

= igual

B. Ahora, descubre qué número falta en las siguientes operaciones matemáticas.

trece	–	dos	+	ocho	=	diecinueve
veinte	–	quince	+	uno	=	seis
ocho	:	dos	+	catorce	=	dieciocho

dieciseis	:	dos	+	ocho	=	dieciséis
siete	+	siete	+	tres	=	diecisiete
tres	x	seis	–	seis	=	doce

CD 3-7 **6.** Quieres reservar habitación en estos hoteles, pero no sabes si los números de teléfono son correctos. Escucha y compruébalos.

Hotel Continental   976214598
Hotel Mirasol   95730009
Hotel Inter América   94236004
Hotel Victoria   913400222
Hotel Murrieta   943289090

7. Vamos a trabajar en parejas: A y B.

Alumno A

A. ¿Cómo se llaman estos objetos en español? Escríbelo. Puedes consultar el diccionario.

-car

1 ~~dio~~ la agenda

2 el papel ⟨ un trozo de papel

3 (el) mapa femenino ending??

4 el bolígrafo.

5 el libro

6 el ordenador / la computadora

B. Ahora, pregunta a tu compañero por el nombre de sus objetos.

Alumno B

A. ¿Cómo se llaman estos objetos en español? Escríbelo. Puedes consultar el diccionario.

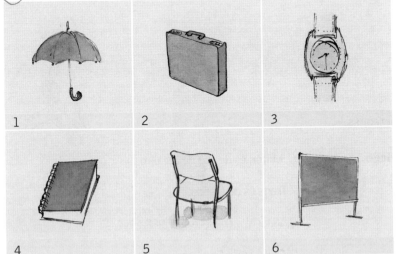

1 el paraguas

2 la cartera

3 el reloj

4 el cuaderno

5 la silla

6 la pizarra.

B. Ahora, pregunta a tu compañero por el nombre de sus objetos.

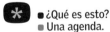
■ ¿Qué es esto?
■ Una agenda.

conference *hostess* *anotar* *decir (to say)* *surname*

CD 8

8. A. En un congreso, una azafata llama a varias personas. Escucha y anota en qué orden dice los apellidos.

1	CÉSPEDES	10	QUINTANA	7	MENDOZA
4	QUESADA	8	QUERALT	12	CORTÉS
11	CUERDA	9	CASTILLO	3	CIFUENTES
5	ZÁRATE	6	CALDERÓN	2	ZÚÑIGA

B. Ahora, separa los apellidos en dos listas. Una para los que tienen el sonido **C/Z**, y otra para los que tienen el sonido **C/QU**.

C/Z	C/QU
Céspedes	

9. Escribe las nacionalidades de estas personas.

1. Kostas es de Atenas. — **Es griego.**

2. Mike y Joe son de Nueva York.

3. Paola es de Milán.

4. Naoko es de Osaka.

5. Ulrich es de Berlín.

6. Milton es de Río de Janeiro.

7. Irene es de Lisboa.

8. Vincent y Danielle son de París.

9. Boris es de San Petersburgo.

10. Carlos y Lucía son de Caracas.

10. Aquí tienes la palabra "gracias" en varios idiomas. ¿Sabes qué idiomas son? Escríbelo. Si no lo sabes, pregunta a tus compañeros o a tu profesor.

1 **merci**		6 **obrigado**	
2 **thank you**		7 **grazie**	
3 **arigato gozaimasu**		8 **spasibo**	
4 **danke**		9 **shukran**	
5 **tak**		10 **dank je**	

11. Relaciona cada pregunta con su respuesta.

Match? each with your response

1	¿Se escribe con <u>be</u> o con <u>uve</u>?		a	Otra vez.
2	¿Cómo se dice *again* en español?		b	Ce, a, ese, te, erre, o.
3	¿Cómo se escribe tu apellido?		c	
4	¿Qué significa "gasolinera"?		d	Con be.
5	¿De dónde eres?		e	Sergio.
6	¿Cómo te llamas?		f	De Bilbao.

CASTRO

12. Vas a escuchar el nombre de unos países deletreados. Marca el orden en que los oyes.

1 GUATEMALA	BOLIVIA	MÉXICO
VENEZUELA	HONDURAS	PERÚ
BRASIL	URUGUAY	ARGENTINA

Pensar — tostik.

13. A. Piensa en siete países. ¿Sabes cómo se dicen en español? Escribe los nombres. Si tienes alguna duda, pregunta a tu profesor.

1 ....

2 ....

3 ....

4 ....

5 ....

6 ....

7 ....

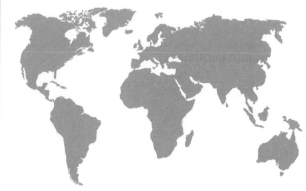

B. Ahora, en parejas, deletrea a tu compañero el nombre de los países que has escrito. Escribe también los nombres de los países de tu compañero.

1 ....

2 ....

3 ....

4 ....

5 ....

6 ....

7 ....

14. Seguro que hay muchas cosas que quieres saber cómo se dicen, cómo se escriben o qué significan en español. Escribe tres preguntas de cada tipo que, luego, formularás a tu profesor. Él o ella te contestará.

¿Cómo se dice ... en español?

¿Cómo se escribe...

¿Qué significa...

15. Relaciona cada pregunta con su respuesta.

1	¿Se escribe así?	a	"Buenos días", creo.
2	¿Cómo se llama?	b	Sí, con hache.
3	¿Cómo se escribe?	c	Quiere decir "cambiar" o "cambio".
4	¿Emma es alemana?	d	Con ce.
5	¿Qué significa *change*?	e	Luis Gutiérrez.
6	¿Cómo se dice *Good morning*?	f	No, creo que es holandesa.

(handwritten notes at top: llamarse, creer, appropriate)

16. Completa los diálogos con las formas adecuadas de los verbos **ser** y **llamarse** y con los pronombres personales cuando sean necesarios.

1 ● Yo **me llamo** Marcelo. ¿Y **tú**?
  ● **Yo**, Tarek.

2 ● Vosotros _sois_ suecos, ¿verdad?
  ● Sí, de Estocolmo.

3 ● ¿Cómo _se llama_ usted, por favor?
  ● Marta Rico.

4 ● Y vosotros, ¿cómo _os llamáis_?
  ● _Él se llama_ Javier.
  ● Y _él se llama_ Pedro.
  ● Y tú, ¿cómo _te llamas_?

5 ● Por favor, ¿los señores Martín?
  ● Sí, _somos_ nosotros.

6 ● Usted _es_ el señor Mateos, ¿verdad?
  ● Sí, _soy_ yo.

7 ● Yo _soy_ mexicano, ¿y ustedes?
  ● Nosotros _somos_ chilenos.

8 ● ¿Cómo _se llama_ esta chica?
  ● Olga Ramiro.
  ● ¿_Ella es_ española?
  ● No, creo que _es_ peruana.

17. El señor Meuwis llega a un hotel. Ordena el diálogo que mantiene con el recepcionista.

☐ **Perdón, ¿cómo se escribe Jansen?**

☐ **Jansen Meuwis.**

☐ **Vale, gracias. ¿Y Meuwis: con uve o con uve doble?**

☐ **Con jota. Jota, a, ene, ese, e, ene.**

☐ **Perfecto. Mire, tiene la habitación número 16.**

☐ **Con uve doble. Eme, e, u, uve doble, i, ese.**

☐ **¿Su nombre, por favor?**

18. Completa los diálogos con un demostrativo: **este, esta, estos, estas** o **esto.**

1 ● ¿Cómo se dice _____ en español?
  ● "Silla".
  ● Y _____ es una cartera, ¿no?
  ● Sí.

2 ● Mira, Luis, _____ son Marta y Carmen.
  ● ¡Hola!

3 ● _____ es tu amigo, ¿no?
  ● Sí, se llama Maurits y es holandés.
  ● ¿Y _____ quién es?
  ● Angelika, una chica alemana.

4 ● _____ son Paolo y Francesco. Son italianos.
  ● Hola, ¿qué tal? ¿De qué ciudad sois?
  ● Hola. Yo, de Módena, y Francesco, de Nápoles.

5 ● ¿_____ es una agenda o un cuaderno?
  ● Una agenda.

6 ● Mira, te presento a algunos compañeros de clase. _____ es Marie y es francesa, _____ es Vladimir y es ruso, y _____ son Asami y Setsuko y son japonesas.
  ● ¡Hola!

19. Completa el crucigrama con los nombres de estos objetos. ¿Cuál es el objeto escondido?

1 C U A D E R N O — computer.
2   C A R T E R A
3   A G E N D A
4   P U E R T A
5 D I C C I O N A R I O
6   P I Z A R R A
7 A R C H I V A D O R
8   T E L É F O N O
9   P E R C H E R O

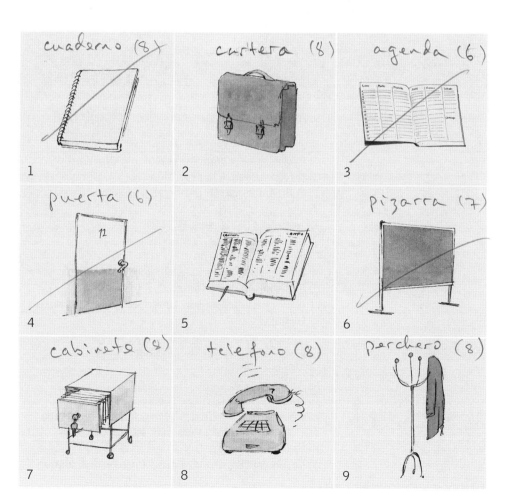

1 cuaderno (8)

2 cartera (8)

3 agenda (6)

4 puerta (6)

5

6 pizarra (7)

7 cabinete (9)

8 teléfono (8)

9 perchero (8)

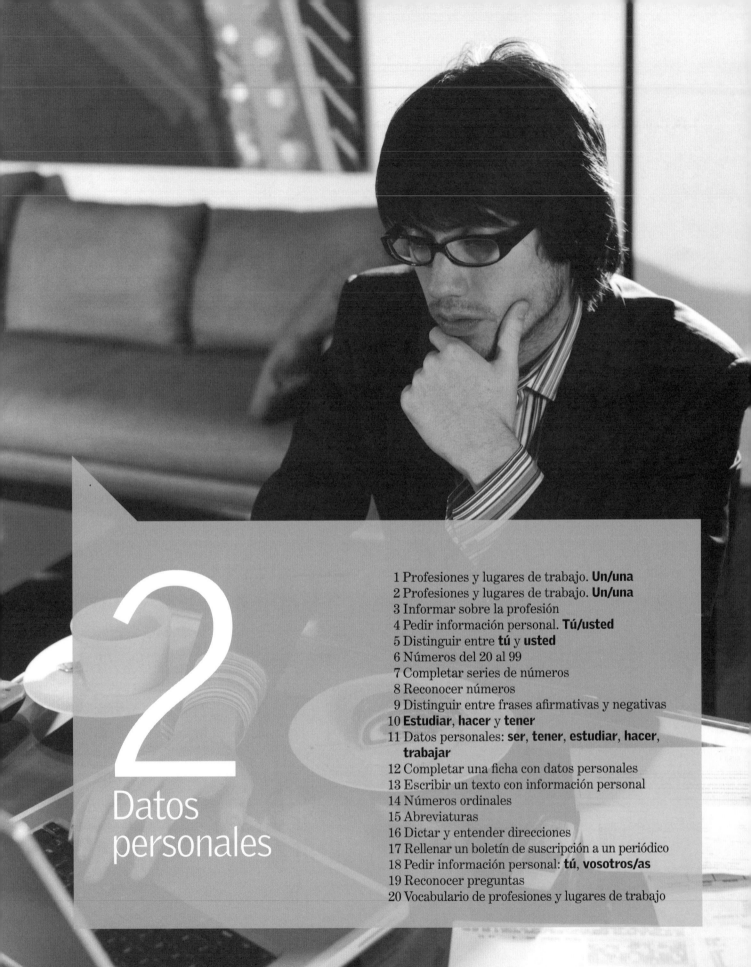

2

Datos personales

below *drawing*

1. A. ¿Cómo se llaman estos lugares? Escríbelo debajo de cada dibujo. No te olvides de poner el artículo: **un** o **una**.

1	2	3	4
un restaurante	una comisaria	un hospital	un juzgado
5	6	7	8
una empresa de mensajería	un hotel	un taxi	una escuela

restaurante
escuela
juzgado — court.
comisaría
empresa de mensajería
taxi
hospital
hotel

B. Ahora, relaciona las profesiones con los dibujos.

1	camarero/a	**6**	recepcionista	**8**	profesor/ra	**7**	taxista
4	abogado/a *lawyer*	**5**	mensajero/a	**3**	médico/a	**2**	policía

2. A. Piensa en otros lugares de trabajo y escríbelos con su artículo correspondiente. Escribe al lado la profesión de una persona que trabaje allí. Puedes consultar el diccionario.

Lugares de trabajo	**Profesiones**

B. Ahora, juega con tu compañero. A ver si adivina el nombre de las profesiones relacionadas con los lugares de trabajo que has escrito en el apartado anterior.

*
● Trabaja en un ambulatorio.
● ¿Un médico?
● No.
● ¿Una enfermera?
● Sí.

think *know.* *what do they do?* *phrases, like.*

3. Piensa en cuatro personas que conoces. ¿A qué se dedican? ¿Dónde trabajan? Escribe frases como la del ejemplo.

Anne es periodista. Trabaja en un periódico.

① Juán es ~~la~~ soldado. Vive en una casa de veterano. ② José es ingeniero. Trabaja en un solar en construcción ③ Andrés es profesor. Enseña en la escuela. ④ Diego es payaso. ~~Realiza~~ (Actua) en un circo. ⑤ Fabio es actor. ~~Realiza~~ (Actua) en el teatro. ⑥ Fernando es médico. Trabaja en un hospital. ⑦ Joaquín es cartero. Trabaja en la oficina de correos.

4. Escribe las preguntas a estas respuestas.

TÚ	USTED	
¿Cómo te llamas?		Luis Arteaga.
		Soy arquitecto.
		En Construmac S.A.
		43.
		Paseo de la Paz, 25, 8º A.
		976 23 78 81.

CD 10

5. Vas a escuchar nueve preguntas. Marca si usan **tú** o **usted**.

1	X tú	usted	④	tú	✓ usted	7 X tú	usted
2	tú	X usted	5 X tú	usted		⑧ tú	✓ usted
3	X tú	usted	6	tú	X usted	9 tú	X usted

⑧ Mariá es secretaria. Trabaja en emprosa privada.
④   un
⑩ Rafael es cocinero. Cocina en el restaurante italiano.
⑪ Rosa es alumna (estudiantiee?). Estudia en la universidad de idiomas

                                                      Datos personales 2

              printer   together.
6. Esta impresora no funciona bien; los números salen juntos. Sepáralos y escríbelos.

cuarentaynueveveinticincoochentaydostreintaycuatrocincuentay
seisveintidóssetentaysieteveintinuevenoventayunosesentayocho

⑫ Stefano es astronauta. ¡Trabaja en la luna!

⑬ René es médica. Trabaja en la clínica de enfermedas.

⑭ Ricardo es policia. Trabaja en la comisaría.

1	cuarenta y nueve	49
2	veinticinco	25
3	ochentaydos	82
4	treintaycuatro	34
5	cincuentayseis	56
6	veintidós	22
7	setentaysiete	77
8	veintinueve	29
9	noventayuno	91
10	sesentayocho	68

                              mistake.
7. Completa las series con el número que falta.   ??

1 Veinte, veintidós, **veinticuatro** , veintiséis, veintiocho...

2 Noventa, ochenta y ocho, _Ochenta y seis_, ochenta y cuatro, ochenta y dos...

3 Veinte, treinta, _cuarenta_ , cincuenta, sesenta...

4 Cuarenta y cinco, _cincuenta_ , cincuenta y cinco, sesenta, sesenta y cinco...

5 Sesenta y tres, sesenta y seis, _sesenta y nueve_, setenta y dos...

6 Noventa, ochenta, _setenta_ , sesenta, cincuenta...

                                                several typos
CD 11 **8.** Las secretarias de una consultoría tienen que hacer fotocopias de varios tipos de documentos.
Escucha y toma nota del número de fotocopias que tienen que hacer de cada documento.
         take note   have done?
| 15 | contrato contract | 2 | factura invoice | 45 | dossier |
| 50 | programa del curso de formación training course programa | 30 | memorándum resumes | 15 | presupuesto budget |

CD 12

9. Escucha estas frases y fíjate en la entonación. Luego, escribe los signos de interrogación si es una pregunta, o un punto si es una afirmación.

then

1. __ Luisa y Pedro son abogados **.**

2. __ Carlos estudia Medicina **.**

3. ¿ Es taxista __ **.**

4. ¿ Ana trabaja en un supermercado __ **.**

every day

5. __ Pilar hace gimnasia todos los días **.**

second floor

6. __ Felipe vive en el segundo piso **.**

7. ¿ Irene trabaja en la televisión **?**

sellers

8. ¿ Son vendedores __ **.**

dot os ?

10. ¿Con qué verbo se usan estas palabras y grupos de palabras? Algunas pueden ir con más de uno. Completa el cuadro.

coche   35 años   idiomas   yoga

teléfono móvil   Económicas   gimnasia   Sociología

deporte   en la Universidad de Salamanca   Derecho

muchos amigos   japonés   mucho trabajo   Informática

ESTUDIAR	HACER	TENER

11. Completa estas frases sobre Elvira y Felipe con la primera persona del singular del Presente de los verbos **ser**, **tener**, **estudiar**, **hacer** o **trabajar**.

todo/muchs· on   *first persn·*

Elvira

1. _____ es _____ economista.
2. _tiene_ treinta y cinco años.
3. _trabaja_ en una consultoría.
4. _hace/tiene_ mucho trabajo.
5. _estudia_ inglés y francés.
6. _tiene_ dos teléfonos móviles.
7. _tiene_ dos coches. *car*
8. _hace_ yoga (todos) los días. *position?*

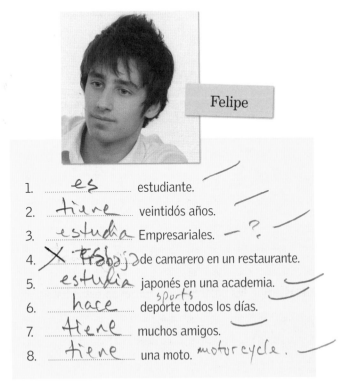

Felipe

1. _____ es _____ estudiante.
2. _tiene_ veintidós años.
3. _estudia_ Empresariales. — ?
4. ~~trabaja~~ X de camarero en un restaurante.
5. _estudia_ japonés en una academia.
6. _hace_ *sports* deporte todos los días.
7. _tiene_ muchos amigos.
8. _tiene_ una moto. *motorcycle.*

12. Lee el texto sobre Luis Romero y completa la ficha con sus datos personales.

Datos personales

Nombre ___Luis___

Apellidos ___Romero Pacheco___

Edad ___26___

Dirección ___C/ Princesa, 95___

Ciudad ___Barcelona___

Profesión ___informático___

Idiomas ___español e inglés (estudio alemán)___

Lugar de nacimiento ___Lima, Perú___

Estado civil ___soltero___

Aficiones ___hago mucho deporte, toco la guitarra en un grupo de rock.___

Me llamo Luis Romero Pacheco y soy de Lima, pero vivo en Barcelona. Tengo un apartamento en la calle Princesa, en el número 95. Soy informático, tengo veintiséis años y estoy soltero. Hago mucho deporte y toco la guitarra en un grupo de rock. Hablo español e inglés y estudio alemán.

tocar - to play.

23

13. Con tus datos, escribe una presentación como la de Luis Romero.

> **Me llamo...**
>
> Me llamo Chris Lewis y soy de San Diego, California (Alta).
> Tengo cincuenta años. Estoy casado y tengo
> tres niñas. Mi esposa es de Hong Kong.
> Trabajo en el barco y muy ocupado todos
> los días. Estudio español y mi profesor
> se llama Jose Oriol Núñez-Urrutia. Hago
> ejercicio cuatro días todas las semanas.

Todos los (años)

14. Escribe las palabras que faltan en estas listas.

1	uno	1º	primero/a
2	....	2º	segundo/a
3	tres	3º	....
4	cuatro	4º	....
5	cinco	5º	....

6	....	6º	sexto/a
7	siete	7º	....
8	....	8º	octavo/a
9	nueve	9º	....
10	diez	10º	....

15. Relaciona las palabras de la izquierda con las abreviaturas de la derecha.

left. · *right*

1	calle		a	izda.	
2	derecha		b	pza.	
3	avenida		c	c/	
4	plaza		d	3º	
5	tercero		e	avda.	
6	número		f	dcha.	
7	paseo		g	n.º	
8	izquierda		h	p.º	

third.

walk ?? ✓

pasear to walk

16. Vamos a trabajar en parejas: A y B.

Alumno A

Completa estas etiquetas de Libroplus con los nombres y las direcciones que te va a dictar tu compañero.
Debajo tienes las tarjetas que le dictarás tú a tu compañero.

Alumno B

Completa estas etiquetas de Libroplus con los nombres y las direcciones que te va a dictar tu compañero.
Debajo tienes las tarjetas que le dictarás tú a tu compañero.

fill out

17. Rellena este boletín de suscripción a un periódico digital.

El Mundo
El País

The Times.

¿?

BOLETÍN DE SUSCRIPCIÓN
EDICIÓN INTERNACIONAL

EL TIEMPO

DATOS PERSONALES

Nombre y apellidos — Christopher Lewis

date.
Fecha de nacimiento — 4 junio, 1959   D.N.I. o Pasaporte — 76137 2985

Dirección — c/ Bahia Profunda Agua 63   Estado civil — Casado.

Localidad — Bahia Profunda Agua   Código postal — 0000

Provincia o región — Hong Kong.   País — China

Teléfono — 2592-9356   Móvil — 9665-1235

Correo electrónico — lewisofarabia@yahoo   Sexo — ☐ Mujer ☒ Hombre

Estudios terminados — universidad. Ciencias Económicas.

PERIODO DE SUSCRIPCIÓN

☐ Trimestral   ☐ Semestral   ☒ Anual
quarterly.

FORMA DE PAGO

☐ Domiciliación bancaria *bank transfer*   – En efectivo/metálico ☐
charge.   – Tarjeta de crédito ☐
Con cargo a la tarjeta:

☐ American Express   ☐ 4B
☒ VISA   ☐ Mastercard

☐ Cheque adjunto *cheque enclosed.*
☐ Giro postal *money order.*   ENVIAR

En breve, le llamaremos para formalizar la suscripción. Agradecemos su confianza en *El Tiempo*. Le recordamos que los datos personales suministrados por el USUARIO son confidenciales y están protegidos por la ley.

18. Escribe las preguntas a estas respuestas. Utiliza las formas de **tú** y de **vosotros/as**.

1 ● **¿Qué estudiáis?**
  ● Yo, Sociología, y ella, Ciencias Políticas.

2 ● ¿ *Dónde vivís?* y *dónde vives?*
  ● Vivimos en la misma calle, en la calle Lugo; yo, en el n.º 6.
  ● Y yo, en el 40.

3 ● ¿ *Tenéis un coche* ?
  ● Sí, tenemos un Fiat Punto.

4 ● ¿ *Dónde trabajas* ?
  ● En una empresa de informática, soy programadora.

5 ● ¿ *Dónde estudias* ?
  ● Estudio en Salamanca.

6 ● ¿ *Dónde vives* ?
  ● Ahora vivo en la calle del Sol, 56, 4º izquierda.

7 ● ¿ *Cuántos años tenéis?*
  ● Yo, veinticuatro.
  ● Y yo, veinte.

8 ● ¿ *Cómo os llamáis* ?
  ● Yo, Nuria, y ella, Carmen.

9 ● ¿ *Eres inglesa* ?
  ● No, soy francesa.

10 ● ¿ *Cómo te llamas* ?
  ● Mario. ¿Y tú?

CD 13

19. Escucha las preguntas y señala cuál de las dos respuestas es la correcta.

1 ☒ **a** En el primero.
  ☐ **b** Dieciocho años.

2 ☒ **a** Sí, calle de los Claveles, 68.
  ☐ **b** Sí. Es el 93 468 23 12.

3 ☐ **a** Estudio en la Universidad de Granada.
  ☒ **b** Somos estudiantes.

4 ☒ **a** En el Hospital Ramón y Cajal.
  ☒ **b** Estudian Contabilidad y Marketing.

5 ☒ **a** En la Agencia Efe.
  ☐ **b** Vivo en Buenos Aires.

6 ☒ **a** Creo que es una librería.
  ☒ **b** Es abogado; trabaja en un despacho.

20. Aquí tienes diez palabras que has aprendido en esta lección. Las letras están desordenadas. Ordénalas.

1 TOHEL **hotel**

2 DOGAJUZ

3 SAJEMENRO

4 MERSUDOCAPER

5 MAREROCA

6 DOAGABO

7 ERDISIOTAP

8 CEROINCO

9 COBAN

10 XISTATA

3

El mundo de la empresa

Grados

1. ¿Conoces marcas o empresas relacionadas con estos productos? ¿Sabes qué nacionalidad tienen? Coméntalo con tu compañero.

comment or talk about with

relojes

caramelos

móviles

motos

electrodomésticos

medicamentos

equipos de sonido

bebidas

coches

muebles

ropa

ropa de deporte

ordenadores

cosméticos

＊
- Bayer es una marca de medicamentos alemana, ¿no?
- Sí.

words according to

CD 14 **2.** Escucha y clasifica las palabras según si son llanas (sílaba tónica en la penúltima sílaba) o agudas (sílaba tónica en la última sílaba).

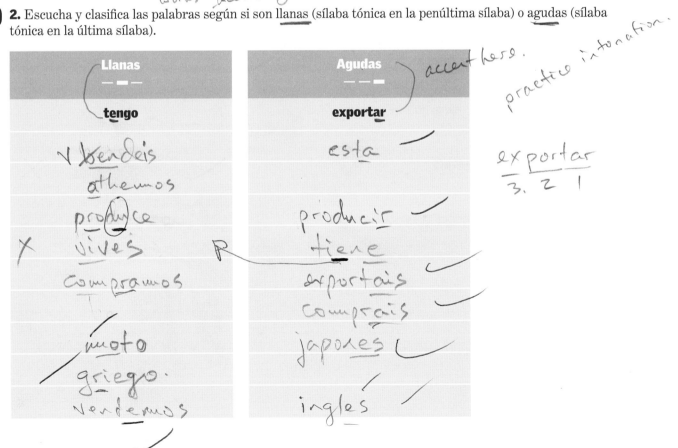

Llanas — ▢ ▢	Agudas — ▢ ▢
tengo	exportar
✓ vendeis	esta
atheuros	
produce	producir
✗ vives	R tiene
compramos	exportais
	comprais
muoto	japones
griego.	
Vendemos	ingles

accent here.

practice intonation.

exportar
3. 2 1

3. A. Mira las fotos y los nombres. ¿Dónde están? Escríbelo en tu cuaderno, como en el ejemplo.

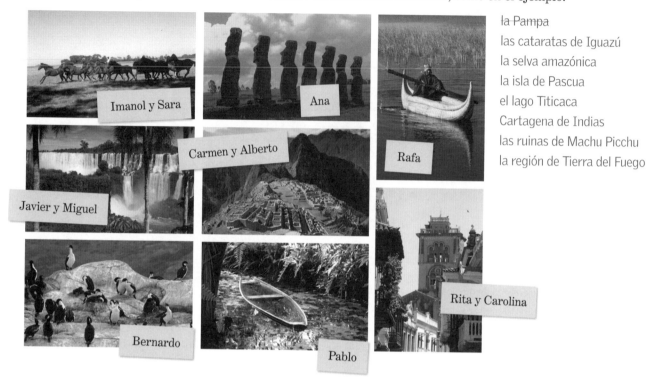

la Pampa
las cataratas de Iguazú
la selva amazónica
la isla de Pascua
el lago Titicaca
Cartagena de Indias
las ruinas de Machu Picchu
la región de Tierra del Fuego

Imanol y Sara

Ana

Rafa

Carmen y Alberto

Javier y Miguel

Rita y Carolina

Bernardo

Pablo

Imanol y Sara están en la Pampa.

B. Ahora, con la ayuda del mapa, escribe en qué
países están esos lugares.

1 La Pampa **está en Argentina.**

2 Las cataratas de Iguazú

3 La selva amazónica

4 La isla de Pascua

5 El lago Titicaca

6 Cartagena de Indias

7 Las ruinas de Machu Picchu

8 La región de Tierra del Fuego

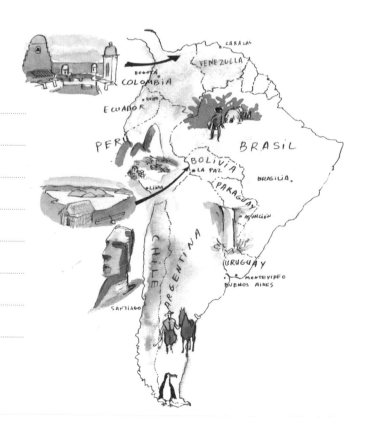

CD 15 **4. A.** En español hay palabras parecidas a las de otras lenguas; la pronunciación, sin embargo, es diferente. Escucha y repite.

CD 15 **B.** Ahora, escucha otra vez y escribe las palabras en tu cuaderno.

5. Escribe estas palabras en su columna correspondiente.

coreano/a, producir, comprar, alimentos, coches, cadena de restaurantes, brasileño/a, electrodomésticos, exportar, agencia de viajes, importar, japonés/esa, petróleo, operador turístico, mexicano/a, compañía de seguros, fabricar, empresa de alimentación, ordenadores portátiles, escuela de negocios, móviles

Nacionalidades	Tipos de empresa	Actividades	Productos
coreano/a			

6. Aquí tienes una lista de empresas. ¿Qué tipo de empresa crees que es cada una?

1	COMUNITEL	a	una cadena de hoteles
2	PC PLUS	b	una compañía de seguros
3	HOTELES HISPANIA	c	una empresa de telecomunicaciones
4	SUPERPRIX	d	una empresa de productos informáticos
5	EDICIONES LA ALHAMBRA	e	un banco
6	VITASECUR	f	una cadena de supermercados
7	BANKISA	g	una escuela de negocios
8	INSTITUTO EMPRESARIAL	h	un grupo editorial

7. Escribe las preguntas a estas respuestas.

1 **¿Cuántos empleados tiene?**

~ about

it

No lo sé exactamente. Creo que (unos) veinte.

2 ¿Qué tipo de empresa es Sebago?

¿Sebago? Es una marca de zapatos.

3 ¿Qué tipo de empresa es?

Es una empresa de electrodomésticos. home appliance.

4 ¿En qué ciudad está la sede?

brand.

Creo que en México D.F., pero tiene sucursales en todo el país.

5 ¿Qué significa "automovilística"?

Pues, por ejemplo, Peugeot es una empresa automovilística.

6 ¿Cuántas oficinas tiene en Barcelona?

¿En Barcelona? Quince. La principal en la Gran Vía.

7 ¿Qué hace Aerojet?

Fabrica aviones.

8 ¿Cómo se llama tu escuela?

Interidiomas.

9 ¿De dónde es?

Es una empresa venezolana.

10 ¿Cuántas sucursales tiene?

Más de trescientas.

¿Cuántos empleados tiene?
¿Cuántas oficinas tiene en Barcelona?
¿De dónde es?
¿Cómo se llama tu escuela?
¿Qué tipo de empresa es?
¿Cuántas sucursales tiene?
¿En qué ciudad está la sede? HQ
¿Qué tipo de empresa es Sebago?
¿Qué significa "automovilística"?
¿Qué hace Aerojet?

Voice?   interview

[CD 16] **8. A.** En el programa de radio "Hablando de empresas" hacen una entrevista al empresario Luis Chamorro. Escucha la entrevista y marca la opción correcta en cada caso.

1 ☒ La empresa se llama Infomundial.

☐ La empresa se llama Ocioturismo.

2 ☐ Fabrica ordenadores.

☒ Fabrica programas informáticos de seguridad.

3 ☒ Tiene 200 clientes.

☐ Tiene 300 clientes.

4 ☒ Tiene unos 50 empleados.

☐ Tiene unos 70 empleados.

5 ☐ Está en Zaragoza, en la avenida de la Constitución.

☒ Está en Barcelona, en la avenida Diagonal.

B. Ahora, imagina que eres periodista y que vas a hacer una entrevista al propietario de una empresa. ¿Qué le preguntas? Escríbelo en tu cuaderno.

9. A. Escribe los números en letras con estas palabras, como en el ejemplo.

225/hotel	**doscientos veinticinco hoteles**
499/sucursal	cuatrocientos noventa y nueve sucursales
530/fábrica	quinientos treinta fábricas
115/banco	ciento quince bancos
375/ordenador	trescientos setenta y cinco ordenadores
784/avión	setecientos ochenta y cuatro aviones
850/supermercado	ochocientos cincuenta supermercados
900/coche	novecientos coches
642/hospital	seiscientos cuarenta y dos hospitales

B. Ahora, escucha y comprueba.

10. Relaciona.

	Posesivo (singular)	Posesivo (plural)
yo	nuestro/nuestra	mis
tú	su	vuestros/vuestras
él, ella, usted	mi	sus
nosotros/as	vuestro/vuestra	tus
vosotros/as	su	nuestros/nuestras
ellos, ellas, ustedes	tu	sus

11. Coloca estas palabras en el recuadro correspondiente.

~~mis productos~~, ~~tu sector~~, ~~nuestras sucursales~~, ~~sus fotos~~, ~~tus socios~~, ~~su marca~~, ~~vuestras oficinas~~, ~~mi empresa~~, ~~nuestra tienda~~

	masculino singular	masculino plural	femenino singular	femenino plural
yo		**mis productos**	mi empresa	
tú	tu sector	tus socios		
él, ella, usted			su marca	
nosotros/as			nuestra tienda	nuestras sucursales
vosotros/as				vuestras oficinas
ellos, ellas, ustedes		sus fotos (f)		

12. Completa las frases con los posesivos que faltan.   *which are missing.*

Panel 1: ¿Dónde está **nuestro** coche?

Panel 2: Trabajamos en Motorosa. *Nuestra* empresa fabrica piezas de recambio para coches.   *spare parts*

Panel 3: Señor Malpesa, ¿cuántos empleados tiene *su* empresa?

Panel 4: Maribel, ¿cómo se llama *su* compañero de trabajo?
Alfredo. ¿Por qué?

Panel 5: *Mi* MP3 es un Sony.

Panel 6: ¿Tienes la ficha de Joaquin Pérez? Necesito *sus* datos personales.

13. Lee este texto sobre la empresa argentina Fargo y marca si las informaciones de la derecha son verdaderas (V) o falsas (F).

Compañía de Alimentos Fargo, S. A. es una de las empresas argentinas más importantes del sector de la alimentación, y la compañía líder en producción de pan industrial. Fargo produce principalmente panes, galletas, dulces, pastas y productos ultracongelados que distribuye por todo el país y que exporta a Uruguay, Chile, Cuba, España, Estados Unidos y Paraguay. En la actualidad, Fargo cuenta con más de 1400 empleados en sus seis plantas de producción, todas en la provincia de Buenos Aires.

1 Es una empresa de alimentación.

2 Produce principalmente pan industrial.

3 Tiene fábricas en diferentes países.

4 Vende sus productos en todo el país.

5 Exporta solo a países de Latinoamérica.

6 Tiene más de mil trabajadores.

7 Tiene seis plantas de producción en la provincia de Buenos Aires.

14. A. Lee esta ficha con los datos del *holding* Munditurismo.

Munditurismo

Creación: 1972

Empresas del *holding*: cinco cadenas de hoteles, una compañía aérea, tres agencias de alquiler de coches y diez agencias de viajes

Empleados: 4000

Sucursales: en todo el mundo

B. Aquí tienes un anuncio de Munditurismo. Hay varios errores; corrígelos y vuelve a escribir el anuncio.

Munditurismo

MT es un *holding* internacional líder en el sector del turismo.

MT tiene 5 compañías aéreas, 1 compañía de transportes y 10 agencias de alquiler de coches.

Sus 400 empleados trabajan en sucursales de toda Europa para ofrecer el mejor servicio a sus clientes.

CD 18 **15.** Vas a escuchar diez frases. Señala en el cuadro qué persona gramatical se usa en cada una.

	1	2	3	4	5	6	7	8	9	10
yo										
tú										
él, ella, usted										
nosotros/as										
vosotros/as										
ellos, ellas, ustedes										

16. Escribe frases sobre las empresas de la izquierda utilizando un elemento de cada caja. Intenta crear varias frases para cada empresa.

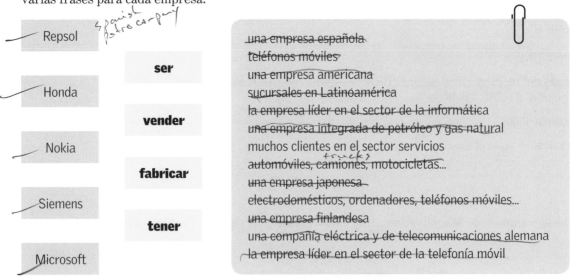

Repsol — *spanish petro company*

ser

Honda

vender

Nokia

fabricar

Siemens

tener

Microsoft

una empresa española
teléfonos móviles
una empresa americana
sucursales en Latinoamérica
la empresa líder en el sector de la informática
una empresa integrada de petróleo y gas natural
muchos clientes en el sector servicios
automóviles, camiones, motocicletas... *(trucks)*
una empresa japonesa
electrodomésticos, ordenadores, teléfonos móviles...
una empresa finlandesa
una compañía eléctrica y de telecomunicaciones alemana
la empresa líder en el sector de la telefonía móvil

Repsol es una empresa española. Tiene sucursales en Latinoamérica...

17. Piensa en una empresa o en una marca. Tu compañero tiene que hacerte preguntas para descubrir cómo se llama. Tú solo puedes contestar **sí** o **no**.

❋
- ¿Es una empresa española?
- No.
- ¿Es japonesa?
- Sí.
- ¿Fabrica automóviles?
- No.
- ¿Fabrica electrodomésticos, teléfonos móviles...?
- Sí.

 18. Imagina que trabajas en la empresa Monetic. Aquí tienes sus datos. Escribe una presentación en tu cuaderno.

Empresa: Monetic

Dirección: avenida de Roma, 25, Palma de Mallorca

Sector: informática

Actividad que realiza: fabricación de cajeros automáticos

N.º de empleados: 45

N.º de oficinas: 1

Clientes: bancos

Mercado: Francia, Grecia, Venezuela, Emiratos Árabes Unidos

19. Escribe en el siguiente gráfico palabras que has aprendido en esta unidad.

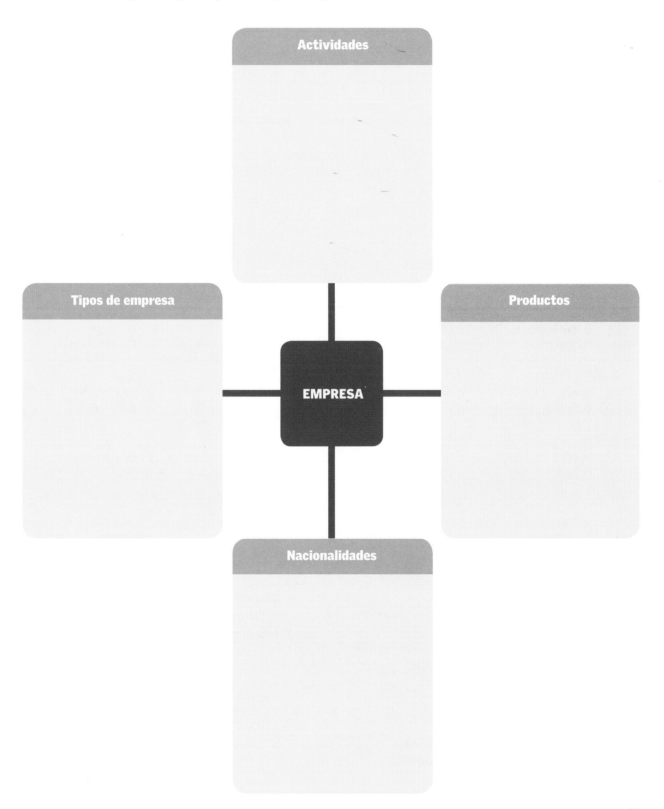

1. Elige la opción más adecuada.

1. ¿Qué _____ "farmacia"?

☐ a. dice   ☒ c. significa
☐ b. se llama   ☐ d. tiene

2. Mi colega y yo _____ abogados.

☐ a. son   ☐ c. sois
☒ b. somos   ☐ d. soy

3. ¿Cómo _____ *please* en español?

☐ a. escribe   ☐ c. dice
☒ b. se dice   ☐ d. llama

4. _____ Ana y Carmen.

☒ a. Esta son   ☐ c. Estas son
☐ b. Esto es   ☐ d. Estos son

5. _____ Jan y _____ belga.

☐ a. Me llamo/es   ☒ c. Me llamo/soy
☐ b. Soy/estoy   ☐ d. Llamo/soy

6. Cinco, diez, _____ , veinte, veinticinco...

☐ a. cincuenta   ☐ c. once
☒ b. quince   ☐ d. diez y cinco

7. Yo no _____ agenda electrónica.

☐ a. soy   ☒ c. tengo
☐ b. hago   ☐ d. estudio

8. Pedro _____ médico y trabaja _____ un hospital.

☐ a. hace/en   ☒ c. es/en
☐ b. es/de   ☐ d. es/a

9. ● ¿Dónde vives?
   ● _____ la calle Sepúlveda, n.º 25.

☐ a. De   ☒ c. En
☐ b. A   ☐ d. Es

10. Creo que Luis y su hermano _____ en un banco.

☐ a. son   ☒ c. trabajan
☐ b. tienen   ☐ d. hacen

11. ● Vivo en la Gran Vía.
    ● _____

☐ a. Yo sí.   ☒ c. Yo también.
☒ b. Vivo.   ☐ d. Yo tampoco.

12. Ana, Carmen, vosotras _____ ruso, ¿verdad?

☐ a. hablamos   ☐ c. hablan
☒ b. habláis   ☐ d. hablas

13. ● Luis es mexicano, ¿no?
    ● _____

☐ a. Creo sí.   ☐ c. Sí, creo que es peruano.
☐ b. Que sí.   ☒ d. Sí, creo que sí.

14. ● ¿A qué os dedicáis?
    ● _____ ingenieras.

☐ a. Estamos   ☒ c. Somos
☐ b. Hacemos   ☐ d. Son

15. Un policía trabaja en _____

☐ a. un restaurante.   ☒ c. una comisaría.
☐ b. un hospital.   ☐ d. una escuela.

16. ¿Cuántas oficinas _____ su empresa en Barcelona, señor Ibáñez?

☐ a. es   ☒ c. tiene
☐ b. hay   ☐ d. está

17. ● ¿En qué piso vivís?
    ● _____

☐ a. Calle Alarcón.   ☒ c. En el tercero.
☐ b. En Madrid.   ☒ d. Cinco.

18. Es una empresa que tiene tres _____ en Bilbao.

☒ a. sucursales   ☐ c. turismo
☐ b. automovilística   ☐ d. oficina

19. ● ¿_____ su dirección, por favor?
    ● Calle Zamora, n.º 46.

☐ a. Qué es   ☐ c. Dónde es
☒ b. Cuál es   ☐ d. En qué es

20. Creo que María y Pepe _____ en París.

☐ a. son   ☒ c. están
☐ b. está   ☐ d. hacen

Resultado:	de 20

2. Lee el siguiente texto y marca si las frases de la derecha son verdaderas (V) o falsas (F).

Panchos, una empresa en expansión

La famosa cadena de tiendas de ropa Panchos, con más de trescientas franquicias en Europa, ahora también tiene tiendas en Asia, concretamente en Tailandia y en Japón. Con las nuevas tiendas, el número de empleados de esta empresa española supera los 2500. Contact, la marca de ropa más conocida de Panchos, se produce en sus fábricas españolas de Valencia y Tarragona, mientras que los productos de Punto, su otra marca, se fabrican ahora en Tailandia. Para la fabricación de todas sus prendas solo utilizan materiales 100% naturales; esta es la clave del éxito de esta joven empresa, líder en el sector de la moda.

1. Panchos es una marca importante en el sector de la moda.

2. En total, Panchos tiene unos 2500 empleados.

3. Panchos no vende sus productos en Europa.

4. Contact y Punto se fabrican en España.

5. Fabrican sus prendas con materiales 100% naturales.

Resultado: de 10

CD 19

3. Ana quiere solicitar un crédito. Escucha la conversación y completa la ficha con sus datos.

Nombre

Edad   Estado civil

Dirección

Profesión   Resultado: de 10

---

4. Con los datos que tienes en la ficha escribe una presentación para la empresa Gustia.

Nombre de la empresa: Gustia

Sector: Internet

Tipo de empresa: tienda *on-line*

Nacionalidad: española

Productos que vende: libros, DVD, CD, videojuegos, *software*, etc.

Sede central: avenida Bergarán, 189, Bilbao

N.º de empleados: 844

Clientes: potencialmente todo el mundo

Resultado: de 10

TOTAL: de 50

4
Le presento al director general

bad/poorly *mal organizado/a*

following definition

1. Relaciona las siguientes definiciones con su adjetivo correspondiente.

1	una persona que trabaja mucho	a	sociable
2	una persona que siempre ve la parte positiva de las cosas	b	divertido/a
3	una persona que hace cosas extrañas	c	trabajador/ra
4	lo contrario de optimista	d	puntual
5	una persona que se relaciona bien con la gente	e	vago/a
6	una persona que trabaja poco	f	callado/a
7	una persona que provoca alegría y risa	g	pesimista
8	una persona que nunca llega tarde	h	raro/a
9	lo contrario de divertido/a	i	optimista
10	una persona que habla poco	j	aburrido/a

sees the positive? *always* *funny/amusing* *lazy* *quiet* *happy laugh* *never arrive late* *weird loco/a – crazy.* *leal/fiel = loyal*

deshonesto/a = dishonest *mentiroso/a – liar.*

CD 20 **2.** Isabel y Manuela son compañeras de trabajo. Están hablando sobre Ana Garrigues, la nueva abogada de la empresa. Escucha y escribe los adjetivos que utilizan para hablar de ella. *about*

Ana es _simpática_ , _guapa_ X , _competente_ , _trabajadora_ y X _amable_ .

Ana

3. ¿Qué cualidades crees que debe tener un buen jefe o una buena jefa? Habla con tus compañeros y juntos *together* completad el cuadro. Luego, decidid las cuatro cualidades más importantes que debe tener un jefe o una jefa y las dos cualidades menos importantes. *her*

✱ ● Yo creo que para ser jefe es importante ser simpático... *demanding*

	simpático/a	guapo/a	optimista	competente	exigente	serio/a	puntual	inteligente	joven
es importante	✓		✓	✓	✓				
no es importante		✓							✓

pensar - tothik

4. Piensa en tres personas que conoces. ¿Quiénes son? ¿Cómo son? Escribe una frase para cada una. Puedes usar estos adjetivos.

Can use these

| trabajador/ra | antipático/a | serio/a | aburrido/a | raro/a |

use these.

| tímido/a | optimista ? | responsable | divertido/a |

> **muy**
> **bastante** *quite*
> **un poco** + adjetivo
> negativo

youngest ?

1. Mi jefe es muy exigente, pero bastante raro.
2. Mi hermano es simpático, pero un poco
3. Mi hija joven es tímida
Sin embargo muy divertida. *pesimista* ~~optimista~~

must be a negative description to use un poco.

5. A. Lee el siguiente texto. ¿Cómo se llaman las personas de la ilustración? Escríbelo.

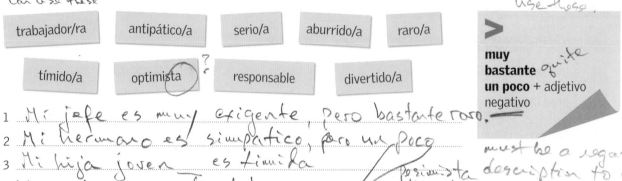

Clara Hernández es española, de Murcia, y **su marido**, Enrique Peña, es de Valencia. Clara y Enrique tienen dos hijos: un chico que se llama Quique, de veintiocho años, y una chica, María, de veintidós. Clara y Enrique tienen una librería especializada en literatura infantil. **Su hija** trabaja en la librería por las tardes y por las mañanas va a la universidad. **Su hijo**, Quique, es arquitecto y trabaja en una empresa de construcción. Quique está casado; **su mujer**, Ana, es abogada y trabaja en una compañía de seguros. Tienen dos hijos, Kiko y Eulalia. Los niños van mucho a la librería de **sus abuelos**. Clara quiere mucho a **sus nietos** Kiko y Eulalia y siempre les regala libros.

always gives them books ?

1 Enrique Peña

2 Clara Hernandez

3 Ana

4 Quique

5 Maria

6 Kiko

7 Eulalia

B. Vuelve a leer el texto. Fíjate en cuándo usamos **su** y cuándo **sus**. Después, completa el cuadro.

1. su marido	**el marido de Clara**	4. su mujer	la mujer de Quique
2. su hija	la hija de Clara y Enrique	5. sus abuelos	los abuelos de Kiko y Eulalia
3. su hijo	el hijo de Clara y Enrique	6. sus nietos	los nietos de ~~Maria~~ Clara y Enrique

grandson.

C. ¿Puedes ahora completar este cuadro con **su** y **sus**?

nephew - sobrino/a.

	Singular		Plural	
de él/ella	su	coche	sus	coches
	su	casa	sus	casas
de ellos/ellas	sus	coche	sus	coches
	sus	casa	sus	casas

? ?
. ,

D. Lee estas frases. Si no son verdaderas, corrígelas.

1. Clara es la abuela de Quique y de María.	**No, Clara es su madre.**
2. Quique y María son hermanos.	
3. Kiko y Eulalia son los hijos de María.	
4. Clara y Enrique son los padres de Kiko y de Eulalia.	
5. María es la hermana de Kiko y de Eulalia.	
6. María es la mujer de Quique.	
7. Eulalia es la hija de Kiko.	
8. Quique y María son los padres de Clara y Enrique.	

CD 21 **6. A.** Rosa está hablando de su familia. Escucha y completa su árbol genealógico.

Miguel
Luis
Elena
Antonio
Margarita
Elvira
Vicente
Amparo
Paco

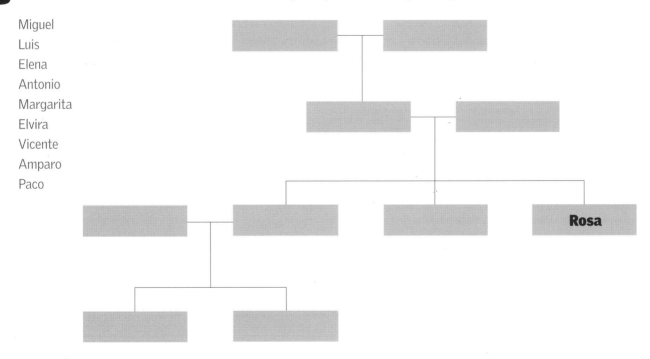

B. Compara tus resultados con los de un compañero.

C. Ahora, habla sobre tu familia con tu compañero.

✳ ● Mi hermano se llama... ; trabaja en...

7. ¿De qué departamentos crees que son responsabilidad estos temas? Relaciona las dos columnas y, luego, escribe las frases, como en el ejemplo.

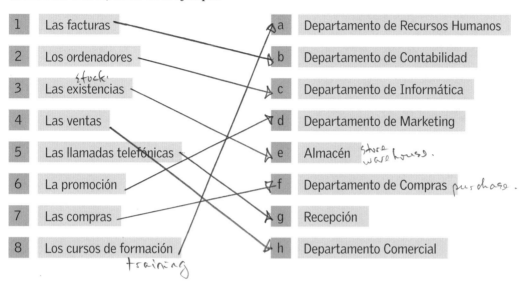

1	Las facturas		a	Departamento de Recursos Humanos
2	Los ordenadores		b	Departamento de Contabilidad
3	Las existencias *stock*		c	Departamento de Informática
4	Las ventas		d	Departamento de Marketing
5	Las llamadas telefónicas		e	Almacén *store warehouse.*
6	La promoción		f	Departamento de Compras *purchase.*
7	Las compras		g	Recepción
8	Los cursos de formación *training*		h	Departamento Comercial

El Departamento de Contabilidad se encarga de las facturas.

CD 22 **8. A.** Escucha cómo suenan las letras **r** y **rr** en estas palabras. Marca las que suenan más fuerte.

aburrido	correspondiente	general	Enrique	serio
presento	rueda	recepción	alrededor	ruso
libro	divertido	director	responsable	compañero

B. ¿Puedes deducir la regla de pronunciación?

La **rr** siempre suena ....

A principio de palabra, la **r** suena ....

La **r** se pronuncia fuerte después de .... o de ....

9. ¿Qué dices en estas situaciones y en las horas indicadas? Escríbelo.

1. Sales de casa y ves a un vecino. Son las 5 de la tarde. ....

2. Terminas de trabajar y te vas a casa. Son las 7 y media de la tarde. ....

3. Llegas a un restaurante para cenar. Son las 10 de la noche. ....

4. Llegas a la oficina. Son las 8 y media de la mañana. ....

5. Sales del gimnasio. Son las 9 y media de la noche. ....

6. Entras en una farmacia. Son las 5 de la tarde. ....

10. A. Una secretaria de la empresa Overtour envía un correo electrónico a ADS Consulting con una lista de los directivos de su empresa. ¡Atención! Algunas palabras no están completas. Escribe las letras que faltan.

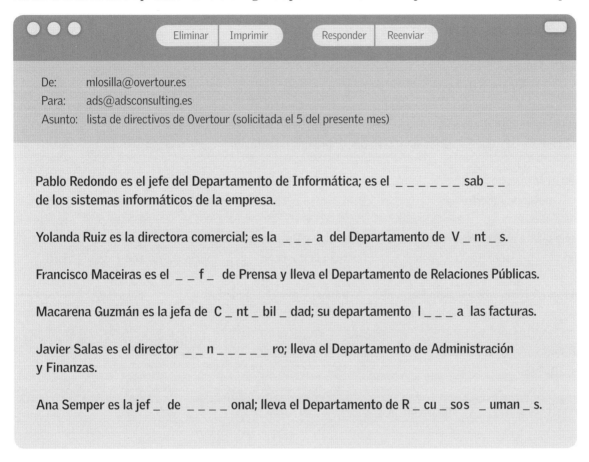

Eliminar Imprimir Responder Reenviar

De: mlosilla@overtour.es
Para: ads@adsconsulting.es
Asunto: lista de directivos de Overtour (solicitada el 5 del presente mes)

Pablo Redondo es el jefe del Departamento de Informática; es el _ _ _ _ _ _ sab _ _ de los sistemas informáticos de la empresa.

Yolanda Ruiz es la directora comercial; es la _ _ _ a del Departamento de V _ nt _ s.

Francisco Maceiras es el _ _ f _ de Prensa y lleva el Departamento de Relaciones Públicas.

Macarena Guzmán es la jefa de C _ nt _ bil _ dad; su departamento l _ _ _ a las facturas.

Javier Salas es el director _ _ n _ _ _ _ _ ro; lleva el Departamento de Administración y Finanzas.

Ana Semper es la jef _ de _ _ _ _ onal; lleva el Departamento de R _ cu _ sos _ uman _ s.

B. Un consultor de ADS Consulting recibe la lista. Quiere hablar con algunas personas de Overtour y llama por teléfono a diferentes horas. Fíjate en la nota. ¿Qué le dice a la recepcionista en cada caso?

1. Llama al director financiero

2. Llama a la jefa de Personal

3. Llama al jefe de Prensa

4. Llama a la persona que lleva el Departamento de Contabilidad

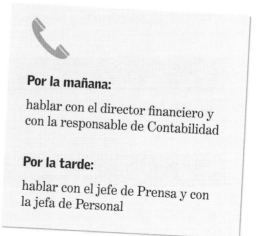

Por la mañana:

hablar con el director financiero y con la responsable de Contabilidad

Por la tarde:

hablar con el jefe de Prensa y con la jefa de Personal

11. Completa las frases con **el, la, los, las** o con **un, una, unos, unas**.

1. ●¿Quién es Jean-Marc Domenech?
   ●Es _____ nuevo responsable de España, Francia y Portugal.

2. ●¿Quién es Roberto?
   ●Es _____ compañero de trabajo de mi hermano.

3. ●Disculpe, ¿está Rita Anderson, _____ responsable del Departamento de Comunicación?
   ●Sí, está en _____ quinta planta, pero creo que ahora mismo está en _____ reunión.

4. ●¿Quién es Macarena?
   ● _____ novia de Alberto.

5. ●¿En qué planta está el Departamento de Investigación y Desarrollo?
   ●Bueno, _____ laboratorio está en _____ tercera planta, pero _____ oficinas están en _____ cuarta.

6. Tenemos dos extranjeros en la empresa: _____ francesa, que es traductora, y _____ holandés, que es _____ director de Producción.

7. ●Te presento a Alfredo y a Rafael, _____ compañeros de trabajo.
   ●¡Hola! ¿Qué tal?

8. Carmen y Elisa son _____ amigas de mi jefa.

12. Lee las siguientes frases y completa el cuadro.

1. Mira, Javier, te presento a Ana, mi novia.
2. Señor Casado, señor Gil, les presento a la señora Collins, la nueva asesora comercial.
3. Señor Kuyt, mire, le presento a Olga Gil; es mi nueva compañera de despacho.
4. María, Paula, os presento a Erik, el nuevo ayudante de Miguel.

tú	vosotros/as
te presento	

usted	ustedes

CD 23 **13. A.** Vas a escuchar seis presentaciones. Relaciona los nombres de la izquierda con su descripción correspondiente.

1	Ana	a	el marido de Carmen
2	Alberto	b	unas amigas
3	Pablo	c	la hija de Miguel
4	Ana Urruti y Luis Delgado	d	un compañero de trabajo
5	Ángela y Sara	e	la responsable de Marketing
6	Señora Mateos	f	los abogados de la empresa

CD 23 **B.** Escucha otra vez y escribe si se usan las formas correspondientes a **tú**, **vosotros/as**, **usted** o **ustedes**.

1		4	
2		5	
3		6	

14. Completa los diálogos con **qué**, **quién**, **cómo**, **dónde** o **de dónde**.

1. ● ¿_____ es Fernando Ayala?
   ● Es el director de Producción.

2. ● ¿_____ es tu nueva jefa?
   ● Es muy agradable, la verdad, y muy inteligente.

3. ● ¿_____ es tu marido?
   ● De un pueblo de la provincia de Zaragoza.

4. ● ¿_____ vive tu hermana?
   ● Ahora vive en el centro, en la calle de la Paz.

5. ● ¿_____ hace Mariona Ramos?
   ● Lleva el Departamento de Administración.

6. ● ¿_____ eres?
   ● Soy holandesa, de Rotterdam.

7. ● ¿_____ se encarga de las ventas?
   ● Clara, la directora comercial.

8. ● ¿En _____ planta trabajas?
   ● En la sexta.

9. ● ¿_____ estás?
   ● Muy bien, ¿y tú?

10. ● ¿_____ está Sebastián?
    ● Creo que está en su despacho.

15. A. Lee estos tres artículos sobre nombramientos y completa las fichas.

Enrique Molina Escobar	Juan Montoya Delgado	Luisa Ríos Montoro
Director general adjunto de Ecopapel	**Presidente de Motor & Sport Company España**	**Directora de Recursos Humanos de Bancandalucía**
Ingeniero industrial de cincuenta y ocho años. Trabaja en Ecopapel desde 1998. Entre sus cargos anteriores están los siguientes: subdirector de Marketing, director de Marketing y jefe de Producción. Su último cargo: director financiero adjunto.	Economista de cuarenta años vinculado al grupo Motor & Sport desde 1999, primero en la central europea de Rotterdam como director de Nuevos Productos, y posteriormente, desde el 2004, en España como director general de Motor & Sport Company España.	Treinta y dos años. Licenciada en Derecho por la Universidad Complutense de Madrid y máster en Derecho del Trabajo y Seguridad Social. Proviene del grupo asegurador ASA, donde ocupaba el cargo de directora de Recursos Humanos.

Nombre ....

Apellidos ....

.... **Edad** ....

Cargos anteriores ....

....

....

Cargo actual ....

....

Nombre ....

Apellidos ....

.... **Edad** ....

Cargos anteriores ....

....

....

Cargo actual ....

....

Nombre ....

Apellidos ....

.... **Edad** ....

Cargos anteriores ....

....

....

Cargo actual ....

....

B. Miguel Muñoz, jefe de Personal de Ecopapel, está en una recepción con su nuevo jefe, Enrique Molina, y lo presenta a unos colegas del mundo empresarial: Luisa Ríos y Juan Montoya. ¿Puedes escribir el diálogo?

CD 24 **16.** Escucha y elige la reacción más adecuada para cada situación.

1		4	
2		5	
3		6	

Buenas noches
Buenos días
Muy bien, ¿y tú?
Buenas tardes
¡Hasta mañana!
Encantado/a

17. ¿Cómo crees que es más habitual tratar a estas personas en España: de **tú** o de **usted**? ¿Y en tu país? Completa el cuadro. Luego, coméntalo con tus compañeros y con tu profesor.

¿Tú o usted?	En España	En tu país
1. Los padres		
2. Los amigos		
3. Los abuelos		
4. El recepcionista de un hotel		
5. Los camareros de un restaurante de lujo luxury.		
6. Los padres de un amigo		
7. El novio de una amiga		
8. Un vecino de sesenta años		
9. Un empleado de banco joven y que conoces bien		
10. Un compañero de asiento en un congreso "colleage" chair.		
11. El camarero del bar en el que normalmente tomas el café to have		
12. La azafata de un avión cabin crew.		
13. La hermana de un amigo		
14. Tu jefe		
15. Un taxista		
16. Los hijos de un amigo		
17. Tu médico en la primera consulta		

18. A. Vamos a trabajar en parejas: A y B. Aquí tenéis las fotos de cuatro personas. Imaginad que A conoce a Nelson y a Maribel, y B a Rubén y a Encarna. Completa la ficha de las dos personas que conoces.

| Nelson | Rubén | Maribel | Encarna |

Edad: ....

Estado civil: ....

Profesión: ....

Relación contigo: ....

....

Carácter: ....

....

Edad: ....

Estado civil: ....

Profesión: ....

Relación contigo: ....

....

Carácter: ....

....

B. Ahora, haz preguntas a tu compañero para completar las fichas de las personas que conoce.

Edad: ....

Estado civil: ....

Profesión: ....

Relación con tu compañero: ....

....

Carácter: ....

....

Edad: ....

Estado civil: ....

Profesión: ....

Relación con tu compañero: ....

....

Carácter: ....

....

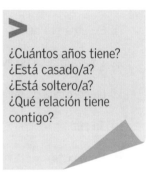

¿Cuántos años tiene?
¿Está casado/a?
¿Está soltero/a?
¿Qué relación tiene
contigo?

19. Escribe frases como la del ejemplo uniendo un elemento de cada caja.

Le presento a Luis Ruiz, un compañero de trabajo. Luis es el responsable del Departamento de Producción.

Este/a/os/as es/son	Luis Ruiz	un/una/unos/unas compañero/a/os/as de trabajo
Te/os/le/les presento a	los señores Mateo	los padres de un amigo
	Miguel y Nuria	un/una/unos/unas vecino/a/os/as
	Lorenzo y José	un/una/unos/unas amigo/a/os/as
	la señora Hurtado	mi/mis hermano/a/os/as
	Montse y Mario	el/la director/ra de Ediciones Iglesias

Montserrat

female

leaves

ha holds

es el/la responsable del Departamento de Producción
estudia/estudian Empresariales
trabaja/trabajan en una agencia de publicidad
está/están de vacaciones
vive/viven en el 5º A
lleva/llevan la negociación con los clientes

CD 25

20. El jefe de una compañía discográfica deja la empresa. Escucha la conversación que mantiene con su sucesora y completa el cuadro con la información de cinco de los trabajadores de la empresa.

¿Cómo se llama?	¿Qué hace?	¿Cómo es?
Juan Galindo		

5

De gestiones

1. Ordena estos cuatro diálogos. *infor-ol*

3	Vale, muchas gracias.
1	Perdona, ¿tienes hora?
4	De nada.
2	Sí. Un momento... Mira, son las siete y media.

3	¿Las dos? Gracias.
1	Oye, Alberto, perdona, ¿qué hora es?
2	Las dos en punto.

formal

2	Sí, las cuatro y veinte.
1	Perdón, ¿tiene hora?
3	Gracias.
4	De nada.

wear

2	Lo siento, no llevo reloj.
3	Vale, gracias.
1	Disculpe, ¿sabe qué hora es?

Excuse me.

2. ¿Qué hora es? Escríbelo.

> | | (en punto) |
> |---|---|
> | | **y** diez |
> | **Es la una** | **y cuarto** |
> | **Son las** dos | **y media** |
> | **Son las** cuatro | **menos cuarto** |
> | ... | **menos** diez |
> | | ... |

1. Son las ~~tres~~ nueve en punto.

2. Son las seis y ~~media~~ cuarto.

3. Son las doce menos cuarto.

4. Son las diez y cinco.

5. Son las doce menos veinte.

6. Son las ocho y media.

7. Son las cinco menos veinte.

8. Son las doce en punto. Es mediodía. Es medianoche.

CD 26-29

3. A. Escucha los diálogos. ¿Qué hora es? Escríbelo.

¿Qué hora es?
1	7:15
2	3:20 (almost 3:30?)
3	9:45
4	1:00 1:20

Do you know what guess they are asking.

CD 26-29

B. Vuelve a escuchar los diálogos. ¿Qué preguntas hacen para saber qué hora es? Escríbelo.

Preguntas
1	¿Qué hora es?
2	
3	
4	

allow   carry out / produce.

4. ¿Dónde puedes realizar estas actividades? Escríbelo.

1. Comprar flores	**En una floristería**	floristería
2. Ver una película *movie*	Es un cine.	el restaurante
3. Comprar medicinas	Es una farmacia.	cafetería
4. Lavar la ropa *wash*	Es una tintorería	discoteca
5. Comprar pan	Es una panadería	tienda de ropa
6. Comer o cenar	Es un restaurante.	farmacia
7. Comprar joyas	Es una joyería.	el estanco *shop selling cigarette stuff*
8. Tomar un café *take or have*	Es una cafetería.	el taller *workshop*
9. Bailar *dance.*	Es una discoteca.	la panadería *bakery*
10. Comprar ropa	Es una tienda de ropa.	la tintorería *dry cleaners*
11. Comprar sellos	Es un estanco.	la joyería *jewelry store*
12. Arreglar el coche	Es un taller.	el cine *movies*

5. Lee este cuadro con los horarios más frecuentes de algunos establecimientos en España. Luego, comenta con tu compañero los horarios de los establecimientos a los que vais.

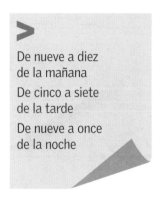

	from to
Un estanco	de 9:00 a 14:00 y de 17:00 a 20:00
Un banco	de 8:30 a 14:00
Una tienda de ropa	de 10:00 a 14:00 y de 16:30 a 20:30
Un supermercado	de 8:00 a 20:00
Una oficina de Correos	de 8:30 a 20:30
Un restaurante	de 13:00 a 16:00 y de 21:00 a 24:00
Una discoteca	de 24:00 a 5:30
Un quiosco	de 7:30 a 20:30

> De nueve a diez de la mañana
>
> De cinco a siete de la tarde
>
> De nueve a once de la noche

* ● Y tu banco, ¿cuándo está abierto?
  ● Creo que de ocho y media a dos.
  ● ¿Y tu restaurante favorito?
  ● Creo que de seis de la tarde a once de la noche.

CD 30 **6. A.** Vas a escuchar una lista de palabras. ¿Son objetos de oficina o establecimientos? *words*

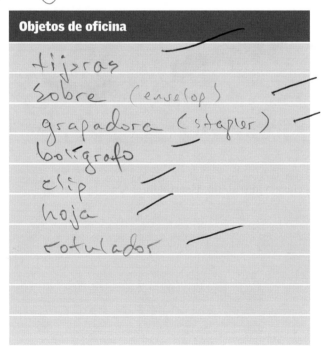

Objetos de oficina
tijeras
sobre (envelop)
grapadora (stapler)
bolígrafo
clip
hoja
rotulador

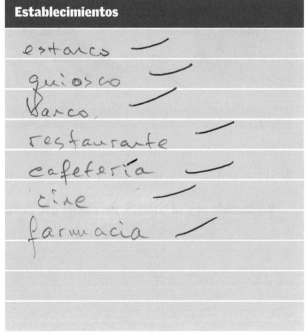

Establecimientos
estanco
quiosco
banco
restaurante
cafetería
cine
farmacia

B. Ahora, escribe tres palabras más en cada lista. Puedes utilizar el diccionario.

7. A. Estas son las cosas que lleva en el bolso Milagros cuando va al trabajo. ¿Qué es cada cosa? Escríbelo.

purse miracle (handwritten notes above)
each thing (handwritten note above)

~~un móvil~~   ~~un bolígrafo~~   ~~un monedero~~   ~~un peine~~   ~~unas gafas de sol~~   ~~una agenda electrónica~~
~~un paraguas~~   ~~unas llaves~~   ~~unos guantes~~   ~~un iPod~~   ~~una tarjeta de crédito~~   ~~una fotografía de su novio~~

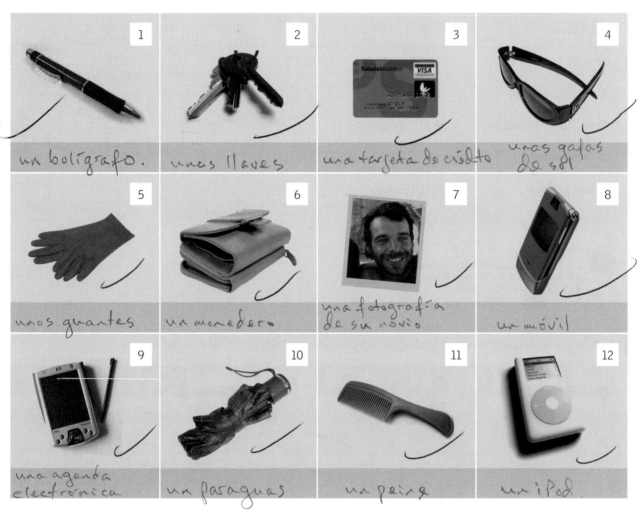

1. *un bolígrafo.*
2. *unas llaves*
3. *una tarjeta de crédito*
4. *unas gafas de sol*
5. *unos guantes*
6. *un monedero*
7. *una fotografía de su novio*
8. *un móvil*
9. *una agenda electrónica*
10. *un paraguas*
11. *un peine*
12. *un iPod*

Portfolio

B. Ahora, piensa en las cosas que llevas tú cuando vas a clase o al trabajo. Escríbelo.

Yo, cuando voy al trabajo, normalmente llevo...

8. A. Relaciona en cada columna los iconos con los establecimientos.

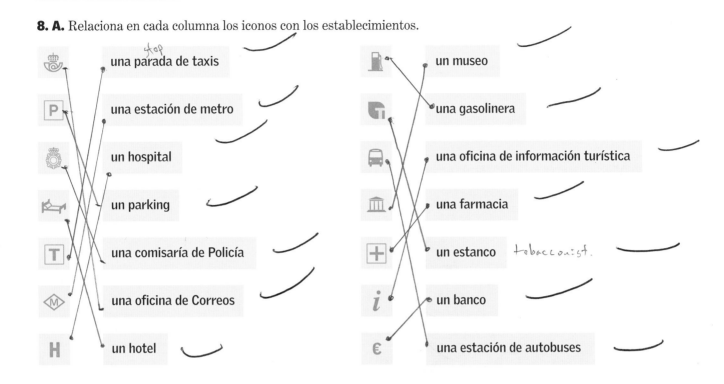

una parada de taxis

una estación de metro

un hospital

un parking

una comisaría de Policía

una oficina de Correos

un hotel

un museo

una gasolinera

una oficina de información turística

una farmacia

un estanco   *tobacconist.*

un banco

una estación de autobuses

B. Ahora, vamos a trabajar en parejas: A y B. El alumno A coloca en uno de los planos los iconos de los establecimientos de la columna izquierda del apartado anterior. El alumno B coloca en el otro plano los iconos de los establecimientos de la derecha. Luego, cada uno pregunta al compañero para completar el otro plano.

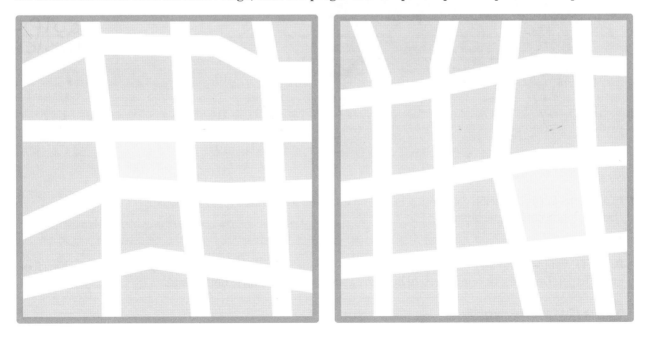

✳ ● ¿Dónde está la farmacia?
● Mira, aquí. Y justo al lado hay una estación de autobuses.

CD 31 **9. A.** Pedro no encuentra una cosa y llama a Luisa, su mujer, para pedirle ayuda. Escucha la conversación. ¿Qué busca? Márcalo.

	el móvil
	las llaves del coche
	la tarjeta de crédito

B. Ahora, observa esta habitación de la casa de Pedro. ¿Qué objetos hay? Escríbelos.

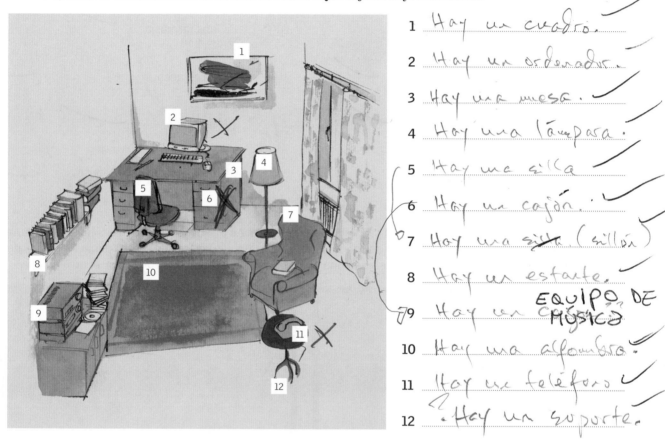

1 _Hay un cuadro._

2 _Hay un ordenador._

3 _Hay una mesa._

4 _Hay una lámpara._

5 _Hay una silla_

6 _Hay un cajón._

7 _Hay una silla (sillón)_

8 _Hay un estante._

9 _Hay un_ EQUIPO DE MÚSICA

10 _Hay una alfombra._

11 _Hay un teléfono._

12 _¿Hay un soporte._

drawing _mention_ looking for car

CD 32 **C.** Escucha la conversación completa y marca en el dibujo los lugares que mencionan. ¿Sabes dónde está lo que busca?

search. keys

(llaves do coche)

D. Ahora, vamos a trabajar en parejas. Tienes que esconder tu bolígrafo en algún lugar de la clase. Escríbelo en un papel. Después, tu compañero te hará preguntas para descubrir dónde está.

✳ ● ¿Está debajo de tu cuaderno?
● No.

10. Relaciona lugares y frases. Antes tienes que rellenar los espacios en blanco con **está** o **hay**.

Before

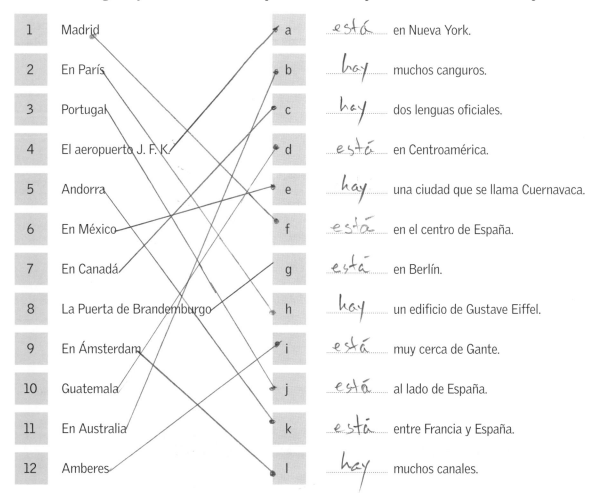

1	Madrid	a	_está_	en Nueva York.
2	En París	b	_hay_	muchos canguros.
3	Portugal	c	_hay_	dos lenguas oficiales.
4	El aeropuerto J. F. K.	d	_está_	en Centroamérica.
5	Andorra	e	_hay_	una ciudad que se llama Cuernavaca.
6	En México	f	_está_	en el centro de España.
7	En Canadá	g	_está_	en Berlín.
8	La Puerta de Brandemburgo	h	_hay_	un edificio de Gustave Eiffel.
9	En Ámsterdam	i	_está_	muy cerca de Gante.
10	Guatemala	j	_está_	al lado de España.
11	En Australia	k	_está_	entre Francia y España.
12	Amberes	l	_hay_	muchos canales.

position it in its corresponding place.

CD 33 **11.** Escucha las palabras y colócalas en su lugar correspondiente.

Sonido /x/ (ja, je, ji, jo, ju, ge, gi)	*sound.* ✗ Jerez ?? ✗ Gijón ?? ✓ Cartagena Los Angeles ✓ Río de Janeiro ✗ Jerosolin ?? Jerusalén
Sonido /g/ (ga, gue, gui, go, gu)	**Guipúzcoa** Galicia Bogotá Santo Domingo Santiago Málaga

12. En parejas: A y B.

Alumno A. Aquí tienes dos listas de cosas que normalmente se utilizan en una oficina. Imagina que tienes cuatro y que necesitas otras cuatro. Márcalas. Después, pide a tu compañero las cuatro cosas que necesitas.

things / ? / _After ask_

Tienes	Necesitas
una grapadora _stapler_	un CD _CD_
un sobre _enselop_	un sello _stamp._
un clip _clip_	un bolígrafo _pen_
una hoja de papel _sheet of paper_	una goma _eraser_
un lápiz _pencil_	un rotulador _felt tip pen_
una regla _ruler_	unas tijeras _scissors_
un diccionario _dictionary._	una calculadora _calculator_
un euro _one Euro_	un sacapuntas _pencil sharpener_

Alumno B. Aquí tienes dos listas de cosas que normalmente se utilizan en una oficina. Imagina que tienes cuatro y que necesitas otras cuatro. Márcalas. Después, pide a tu compañero las cuatro cosas que necesitas.

Tienes	Necesitas
un CD	una grapadora
un sello	un sobre
un bolígrafo	un clip
una goma	una hoja de papel
un rotulador	un lápiz
unas tijeras	una regla
una calculadora	un diccionario
un sacapuntas	un euro

✳
- ¿Tienes una grapadora?
- No, no tengo. Y tú, ¿tienes un bolígrafo?
- Sí, aquí tienes.

13. A. Completa estos diálogos que tienen lugar en varios establecimientos.

1. ● Buenos días. _Quería_ alquilar un coche.
   ● Muy bien. ¿Qué modelo quiere?

2. ● Oiga, ¿ _Tienen_ gasolina sin plomo?
   ● Sí, en el número 2 y en el número 3.

3. ● ¿ _Cuánto_ cuestan estos pantalones?
   ● 40 euros. Están de oferta. (on sale?)

4. ● Perdone, ¿ _Cuánto_ cuesta un billete para Granada?
   ● ¿En tren?
   ● No, en autobús.

5. ● Hola. _Quería_ comprar un billete de avión para Estocolmo.
   ● Un momento, por favor.

6. ● Perdona, ¿ _Para_ comprar una entrada para el concierto de esta noche?
   ● Sí, aquí a la izquierda.

7. ● ¿ _Tienen_ bolígrafos?
   ● Sí, claro. ¿De qué color?

8. ● ¿Desea alguna cosa?
   ● Sí. ¿ _Cuánto_ cuesta la entrada al museo?

9. ● ¿ _Para_ renovar el pasaporte?
   ● En la primera planta.

10. ● ¿ _Tienen_ prensa internacional?
    ● Sí, al lado de las postales.

> **¿Para** + Infinitivo?
> **¿Tienen**...?
> **Quería** + Infinitivo
> **¿Cuánto**...?

B. ¿Dónde crees que están las personas del apartado anterior? Escríbelo.

1	**en una oficina de alquiler de coches**
2	en una gasolinera
3	en una tienda de ropa
4	en una estación
5	en una tienda de ropa
6	en una sala de conciertos
7	en una papelería
8	en un museo
9	en una comisaría de Policía
10	en un quiosco

en una papelería
en una sala de conciertos
en un museo
en una tienda de ropa
en una agencia de viajes
en una estación
en un quiosco
en una comisaría de Policía
en una gasolinera

14. A. Lee el anuncio y responde a las preguntas.

El acuario de Barcelona es otro mundo

[handwritten annotations: together, playful only, wharf?, immerse, know, Wait for it! ??, auditorium, ATM, thematic store]

Bienvenidos al acuario de Barcelona, un centro marino y lúdico único en Europa. Está situado en el muelle de España, junto al mar. Cuenta con 35 acuarios, más de 11 000 ejemplares de 450 especies diferentes, un espectacular túnel submarino de 80 metros y el inmenso "Oceanario". El acuario de Barcelona es un lugar ideal para conocer las maravillas de las diferentes comunidades marinas del mar Mediterráneo. ¡Os esperamos!

Servicios: auditorio, cajero automático, cafetería, tienda temática, terraza panorámica, servicio de información.

Horario: de 09:30 a 21:00 h

¿Qué es?	Es el acuario de Barcelona.
¿Qué hay?	
¿Dónde está?	Está situado en el muella de España, junto al mar
¿Cuándo abre?	El acuario abre a las nueve y media.

[handwritten: about a las — previous exercise.]

B. Ahora, elige uno de estos tipos de establecimientos y escribe un anuncio parecido al del apartado anterior. También puedes proponer otro tipo de establecimiento.

[handwritten: Can you also propose]

un parque de atracciones
una estación de esquí
un balneario
una discoteca
un museo

15. Relaciona cada pregunta con su respuesta.

1	¿Dónde puedo comprar sellos?	a	Lápiz, creo.
2	¿Sabes dónde está el despacho de la señora Martínez?	b	A las doce y media.
3	¿A qué hora vas al aeropuerto?	c	Sí, en la segunda planta.
4	¿Sabes cómo se llama esto?	d	En un quiosco.
5	¿Dónde puedo comprar el periódico?	e	Al banco.
6	¿Dónde tienes que ir a las diez?	f	En un estanco.

(handwritten annotation: stamps)

16. Marisa se tiene que ir de la oficina antes de la hora porque tiene un compromiso y le ha enviado un correo electrónico a Ana, una compañera de trabajo. Léelo y completa los espacios con la forma adecuada de los verbos **ir, saber, estar, tener, poder** y **cerrar**.

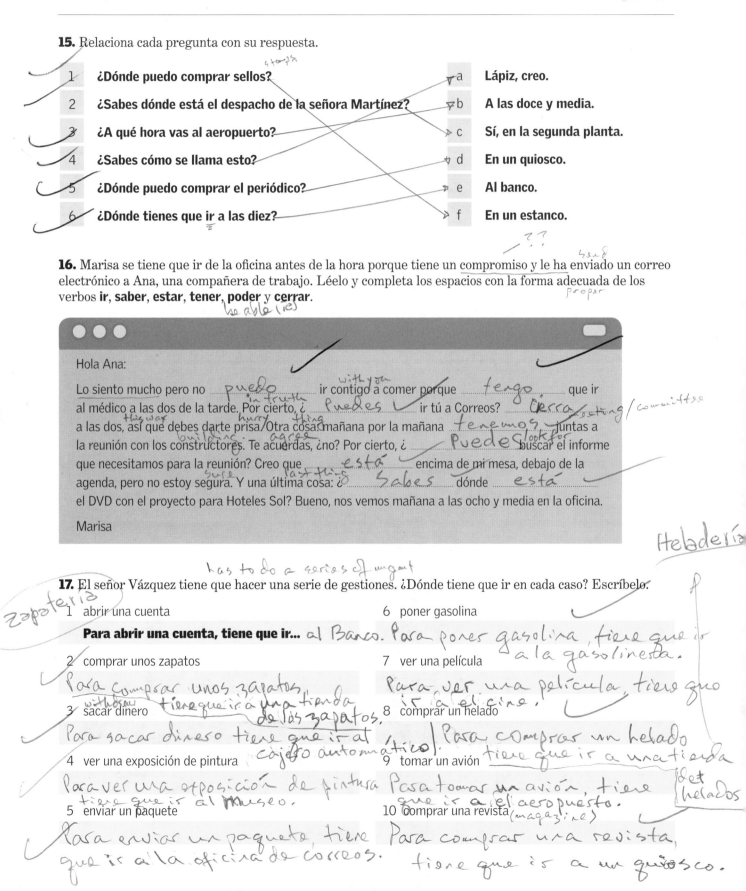

Hola Ana:

Lo siento mucho pero no _puedo_ ir contigo a comer porque _tengo_ que ir al médico a las dos de la tarde. Por cierto, ¿ _puedes_ ir tú a Correos? _Cierra_ a las dos, así que debes darte prisa. Otra cosa: mañana por la mañana _tenemos_ juntas a la reunión con los constructores. Te acuerdas, ¿no? Por cierto, ¿ _puedes_ buscar el informe que necesitamos para la reunión? Creo que _está_ encima de mi mesa, debajo de la agenda, pero no estoy segura. Y una última cosa: ¿o _sabes_ dónde _está_ el DVD con el proyecto para Hoteles Sol? Bueno, nos vemos mañana a las ocho y media en la oficina.

Marisa

17. El señor Vázquez tiene que hacer una serie de gestiones. ¿Dónde tiene que ir en cada caso? Escríbelo.

1 abrir una cuenta

Para abrir una cuenta, tiene que ir... al Banco.

2 comprar unos zapatos

Para comprar unos zapatos, tiene que ir a una tienda de los zapatos.

3 sacar dinero

Para sacar dinero tiene que ir al cajero automático.

4 ver una exposición de pintura

Para ver una exposición de pintura tiene que ir al Museo.

5 enviar un paquete

Para enviar un paquete, tiene que ir a la oficina de correos.

6 poner gasolina

Para poner gasolina, tiene que ir a la gasolinera.

7 ver una película

Para ver una película, tiene que ir al cine.

8 comprar un helado

Para comprar un helado tiene que ir a una tienda.

9 tomar un avión

Para tomar un avión, tiene que ir a el aeropuesto.

10 comprar una revista

Para comprar una revista, tiene que ir a un quiosco.

6

Lugares para trabajar, lugares para vivir

1. Estos cheques están incompletos. Escribe los datos que faltan.

1

	C/ Capitán Cortés, 3		CÓDIGO CUENTA CLIENTE (CCC)			
BH	Madrid - España		ENTIDAD	OFICINA	CONTROL	N.º DE CUENTA
	Tel. 91 435 6671		0001	3223	22	5239012720

€ _____

Páguese, por este cheque, a **al portador** _____

euros (en letras) **dos millones doscientos cincuenta mil euros** _____

Madrid, _____ de _____ de _____

Fecha (en letras)

serie n.º 001

0 2 3 0 9 7 2 5 4 3 4 5   3 2 4 5   8 2 4 5 8 8 9 5 4 3

2

	C/ Capitán Cortés, 3		CÓDIGO CUENTA CLIENTE (CCC)			
BH	Madrid - España		ENTIDAD	OFICINA	CONTROL	N.º DE CUENTA
	Tel. 91 435 6671		0001	3223	22	5239012720

€ **# 53 250 #** _____

Páguese, por este cheque, a **al portador** _____

euros (en letras) _____

Madrid, _____ de _____ de _____

Fecha (en letras)

serie n.º 002

0 2 3 0 9 7 2 5 4 3 4 5   3 2 4 5   8 2 4 5 8 8 9 5 4 3

3

	C/ Capitán Cortés, 3		CÓDIGO CUENTA CLIENTE (CCC)			
BH	Madrid - España		ENTIDAD	OFICINA	CONTROL	N.º DE CUENTA
	Tel. 91 435 6671		0001	3223	22	5239012720

€ _____

Páguese, por este cheque, a **al portador** _____

euros (en letras) **cuarenta mil veinticinco euros** _____

Madrid, _____ de _____ de _____

Fecha (en letras)

serie n.º 003

0 2 3 0 9 7 2 5 4 3 4 5   3 2 4 5   8 2 4 5 8 8 9 5 4 3

4

	C/ Capitán Cortés, 3		CÓDIGO CUENTA CLIENTE (CCC)			
BH	Madrid - España		ENTIDAD	OFICINA	CONTROL	N.º DE CUENTA
	Tel. 91 435 6671		0001	3223	22	5239012720

€ **# 7130 #** _____

Páguese, por este cheque, a **al portador** _____

euros (en letras) _____

Madrid, _____ de _____ de _____

Fecha (en letras)

serie n.º 004

0 2 3 0 9 7 2 5 4 3 4 5   3 2 4 5   8 2 4 5 8 8 9 5 4 3

2. A. Una agencia inmobiliaria de Bilbao anuncia este piso. Lee el texto, mira el plano y completa las palabras.

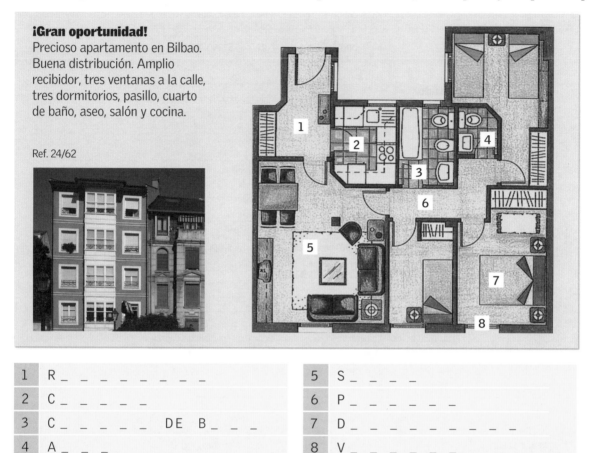

¡Gran oportunidad!
Precioso apartamento en Bilbao. Buena distribución. Amplio recibidor, tres ventanas a la calle, tres dormitorios, pasillo, cuarto de baño, aseo, salón y cocina.

Ref. 24/62

1	R _ _ _ _ _ _ _		5	S _ _ _ _
2	C _ _ _ _ _		6	P _ _ _ _ _ _
3	C _ _ _ _ _ DE B_ _ _		7	D _ _ _ _ _ _ _ _ _ _
4	A _ _ _		8	V _ _ _ _ _ _

B. Imagina que tu empresa te traslada a Bilbao y que tienes que alquilar un piso. Este te interesa, pero necesitas más información. Escribe preguntas para saber más cosas. Puedes usar elementos de las tres cajas.

cuánto/a/os/as
qué
dónde

es
está
tiene
necesita
cuesta

piso
reformas
metros
garaje
calefacción
nuevo
ascensor
luz

CD 34 **C.** Ahora, escucha la conversación. ¿Puedes responder a todas tus preguntas?

D. Con toda la información que tienes, ¿alquilas el piso? ¿Por qué? Escríbelo en tu cuaderno.

3. A. Observa cómo se abrevian muchas palabras en el primer anuncio. Luego, interpreta los otros dos anuncios y reescríbelos siguiendo el modelo.

1
JTO. MERCADO DE LA CON-CEPCIÓN. Barrio tranquilo, impecable, no nec. reform., 3 hab., bño., aseo/coc. nvos., Tza. amplia, fantásticas vtas., asc., pl. pk. opc. 285 000 €.

2
JTO. PZA. DE CUBA. Apart. de lujo, reform., 1 hab. Salón 20 m. ext. 2 balcones, park. opc. Bñ. con jacuzzi, coc. americana. Calef. y aire acond. 225 000 €.

3
AVDA. DON SANCHO. Muy bien comunic. jto. parque. Muchos m², 4 hab., 2 bñ., coc. reform., gr. salón, tza. 34 m², calefac. central., luz, asc., 320 000 €.

Es un piso impecable, no necesita reformas. Está junto al mercado de la Concepción, en un barrio tranquilo. Tiene tres habitaciones y un baño. El aseo y la cocina son nuevos. La terraza es muy amplia y tiene unas vistas fantásticas. Tiene ascensor y la plaza de parking es opcional. Cuesta 285 000 euros.

B. Ahora, lee las fichas de estas personas que buscan piso. Escribe el número del piso qué más se acerca a sus necesidades.

Ana busca un apartamento para ella sola. Quiere un estudio con una habitación, pero con un salón grande. Tiene que ser exterior, con mucha luz; preferiblemente con terraza o, como mínimo, con un balcón. Necesita plaza de parking.

Pilar y Candela quieren comprar un piso de dos habitaciones como mínimo. Prefieren algo nuevo, pero no les importa tener que hacer alguna pequeña reforma. Quieren vivir en una zona tranquila pero bien comunicada.

La familia Carbajal busca una casa o un piso grande. Tienen dos hijos y un perro. Necesitan, como mínimo, cuatro habitaciones y dos cuartos de baño. Buscan una zona tranquila y con jardines. No quieren hacer reformas.

4. A. Quieres pasar tus próximas vacaciones en España. La empresa Interhogar pone en contacto a gente de distintos países que quiere intercambiar sus casas para pasar las vacaciones. Aquí tienes la descripción de tres casas situadas en diferentes lugares de España. ¿Cuál prefieres? Márcalo. Luego, escribe tus razones.

CANET DE MAR (BARCELONA)

Casa de más de 200 m² situada en las afueras del pueblo, a cinco minutos de la playa y de la montaña y a unos 50 km de Barcelona. Es una construcción de principios de siglo que se mantiene en su estado original. Tiene dos plantas, cinco habitaciones, cocina, dos salones, dos cuartos de baño y jardín. Ideal para una familia o un grupo de amigos. Ref. 23/78

MADRID

Gran piso de lujo en pleno centro de Madrid. Elegante edificio de finales del XIX con preciosas vistas al paseo de la Castellana. Tiene tres habitaciones, dos cuartos de baño, una gran cocina, techos altos, suelos de madera y aire acondicionado. En el salón hay una preciosa chimenea. El piso está decorado con muebles de época. Ascensor y parking. Ref. 23/79

COSTA DEL SOL (MÁLAGA)

Apartamento de 75 m² situado en una urbanización junto al mar, a solo 10 km de Marbella. El apartamento tiene dos habitaciones, salón, cocina, cuarto de baño, una terraza de 20 m² y aire acondicionado. La urbanización cuenta con una preciosa piscina comunitaria y dos pistas de tenis. Ref. 23/80

B. Ahora, escribe en tu cuaderno una descripción de tu casa, parecida a las del apartado anterior.

5. A. Completa las frases con la forma adecuada del Presente de los verbos **ser** o **estar**.

1. Nuestro hotel .... muy cerca del Museo Reina Sofía.

2. ● Nosotras .... holandesas, de Rotterdam. Y vosotros, ¿de dónde .... ?
   ● .... mexicanos, de Monterrey.

3. Massimo Dutti .... una cadena de tiendas española.

4. Carlos Ríos .... el nuevo director de Recursos Humanos.

5. Mis dos hermanos, Carlos y Fernando, ... economistas y trabajan en la misma empresa.

6. El jefe de Ventas .... muy amable, en cambio la directora de Producción .... bastante antipática.

7. ● Ulrich .... holandés, ¿no?
   ● No, creo que .... belga.

8. ● Hola, qué tal, ¿como .... ?
   ● Muy bien. ¿Y tú?

9. El Hotel Palace de Madrid .... muy elegante y bastante caro.

10. Arcor .... una empresa de alimentación argentina.

11. ● Mira, Alejandro, este .... Mario, también es traductor.
    ● Hola, ¿qué tal?

12. La máquina de café .... al final del pasillo.

13. Esta casa .... mucho más grande que la otra. Tiene 40 m² más.

14. ● Buenos días. ¿ .... Javier en su despacho?
    ● No, lo siento, ahora mismo no ....

B. Ahora, escribe en cada caso lo que expresa el verbo.

1		8		ubicación
2		9		nacionalidad
3		10		profesión o cargo
4		11		carácter
5		12		características
6		13		saludos
7		14		presentaciones
				tipo de empresa
				presencia de alguien

C. ¿Puedes escribir la regla?

El verbo .... se usa, entre otras cosas, para hablar de .... ,
.... , ... , del tipo de empresa, de las características de
algo y para presentar a alguien. El verbo .... se usa, entre otras cosas, para hablar de
.... , para interesarnos por alguien o saludar y para preguntar por la presencia de alguien.

CD 35 **6. A.** Escucha y completa las palabras con las vocales que faltan.

1	**prefiero**	5	v _ _ l v _ s	9	q _ _ _ r _ n
2	p _ _ d _ n	6	p _ d _ m _ s	10	p _ d _ _ s
3	p r _ f _ _ r _ s	7	v _ l v _ _ s	11	v _ _ l v _
4	q _ _ _ r _ s	8	p r _ f _ r _ _ _ s	12	q _ _ _ r _

B. Completa el cuadro con las formas verbales anteriores. Luego, añade las formas que faltan.

	PREFERIR	QUERER	PODER	VOLVER
yo	**prefiero**			
tú				
él, ella, usted				
nosotros/as				
vosotros/as				
ellos, ellas, ustedes				

C. Ahora, observa el cuadro e intenta formular una regla.

En español, algunos verbos en Presente cambian la segunda **e** de su raíz por **ie** en las formas de las personas **yo**, **tú**, **él/ella/usted** y ....

Otros verbos cambian la **o** de su raíz por **ue** también en las formas de **yo**, ... , ... y ....

En las formas de **nosotros/as** y .... nunca hay cambios de vocales en Presente.

CD 36 **7.** Vas a escuchar algunas palabras que tienen los diptongos **ie** y **ue**. Escríbelas en la parte del cuadro correspondiente.

IE	**siete**
UE	

8. A. Escribe el nombre de cada cosa.

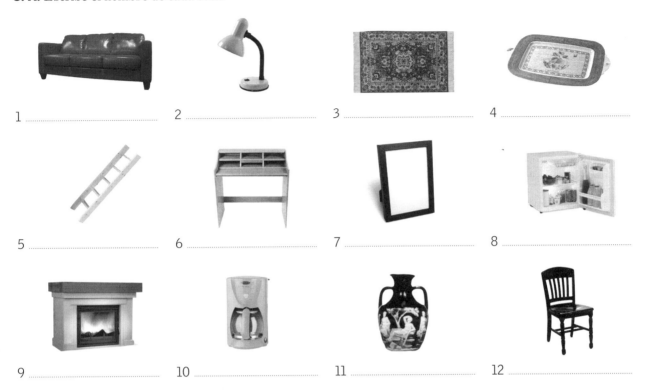

1 ....   2 ....   3 ....   4 ....

5 ....   6 ....   7 ....   8 ....

9 ....   10 ....   11 ....   12 ....

B. Ahora, comenta con tu compañero cuál puede ser el precio aproximado de cada mueble u objeto.

- ¿Cuánto crees que cuesta el sofá?
- Unos 400 euros, ¿no?
- Yo creo que cuesta más.

C. Aquí tienes los precios exactos de los muebles y de los objetos anteriores. Lee las frases y escribe el precio de cada cosa al lado de su número correspondiente.

11 €   17 €   30 €   128 €   650 €   750 €   15 €   20 €   30 €   228 €   250 €   1300 €

La alfombra cuesta 500 euros más que la silla.
La escalera y el jarrón cuestan lo mismo.
La chimenea cuesta el doble que el sofá.
El marco es el objeto más barato.
La cafetera cuesta tres euros menos que la lámpara.
El frigorífico cuesta 100 euros menos que el escritorio.
La bandeja cuesta la mitad que el jarrón.

Precios			
1		7	
2		8	
3		9	
4		10	
5		11	
6		12	

9. A. Aquí tienes unas cifras sobre la evolución del mercado inmobiliario de Barcelona entre los años 2005 y 2006. Léelas y, luego, relaciona las dos columnas de abajo.

MERCADO INMOBILIARIO			
	2005	**2006**	**Variación**
Precio medio (€/m²)	4696	5369	↑ 14,3%
Primera mano (€/m²)	5082	5791	↑ 14%
Segunda mano (€/m²)	4311	4948	↑ 14,8%
Alquiler (€/m²/mes)	11,82	13,44	↑ 13,7%
Plazas de parking	24 520	27 500	↑ 12,2%

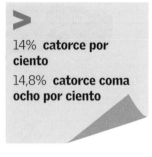

14% **catorce por ciento**

14,8% **catorce coma ocho por ciento**

El metro cuadrado en el 2006	sube un 14,8%
El metro cuadrado de una vivienda nueva	sube un 12,2%
El precio del metro cuadrado de una vivienda de segunda mano	es el más caro
El metro cuadrado de un piso de alquiler	cuesta de media un 14,3% más que en el 2005
El precio medio de una plaza de parking	cuesta un 13,7% más que el año anterior

B. ¿Crees que Barcelona es una ciudad cara? Piensa en tu ciudad o en otras que conoces y escribe frases comparándolas.

En mi ciudad los pisos son...

....

....

....

....

....

10. Compara los datos de Chile y Argentina y escribe frases como la del ejemplo.

CHILE
Nombre oficial: República de Chile
Capital: Santiago (5,5 millones)
Población: 15,8 millones de habitantes
Composición de la población: blancos y mestizos 92%, araucanos 6%, otras 2%
Superficie: 756 626 km²
Densidad: 20 habitantes por km²
Exportaciones: 18 340 millones de dólares
Importaciones: 15 827 millones de dólares
Lenguas: español y en menor medida aimara, quechua, mapuche, alacalufe y pascuense
Religiones: católicos 89%, protestantes 11%
Moneda: peso
Esperanza de vida: hombres, 73 años; mujeres, 79 años
Fronteras políticas: Perú, Bolivia, Argentina

ARGENTINA
Nombre oficial: República Argentina
Capital: Buenos Aires (12 millones)
Población: 38,4 millones de habitantes
Composición de la población: descendientes de inmigrantes europeos 85%, otras (incluidos indios y mestizos) 15%
Superficie: 2 766 890 km²
Densidad: 13 habitantes por km²
Exportaciones: 25 709 millones de dólares
Importaciones: 8470 millones de dólares
Lenguas: español y en menor medida guaraní, mataco, quechua y mapuche
Religiones: católicos 90%, judíos 2%, otras 8%
Moneda: peso
Esperanza de vida: hombres, 70 años; mujeres, 78 años
Fronteras políticas: Chile, Bolivia, Paraguay, Brasil, Uruguay

Chile tiene más habitantes por kilómetro cuadrado que Argentina.

Chile

Argentina

11. Fíjate en la descripción de los hoteles de la página 70 del *Libro del alumno* y relaciona las frases son su hotel correspondiente.

☐	Es el más antiguo.
☐	Está en la playa.
☐	Es el más barato.
☐	Las habitaciones no tienen acceso a Internet.
☐	Tiene peluquería.
☐	Tiene una discoteca.
☐	Es el más adecuado para hacer deporte.
☐	Es el más caro.
☐	Tiene tiendas.
☐	Está en Colombia.

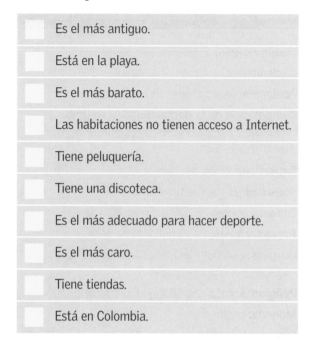

1 **Hotel Santa Clara**

2 **Hotel Marriot Plaza**

3 **Hotel Hyatt Beach**

4 **Hotel Anauco Hilton**

12. Lee estas frases y marca si tienen un sentido positivo (+) o negativo (-).

	+	−
1. Mmm... Son muy caros.		
2. Este escritorio es un poco antiguo.		
3. Es muy original.		
4. Mmm... Es un poco grande, ¿no?		
5. Para mí, es demasiado clásico.		
6. Este sillón es bastante barato.		
7. Es demasiado moderna para mi gusto.		
8. Es un proyecto muy arriesgado.		
9. Es un poco feo.		
10. Es un edificio muy bonito.		

13. Aquí tienes algunas palabras que han aparecido en esta unidad. Escríbelas en su columna correspondiente.

el / un	la / una
reloj	

reloj
alfombra
frigorífico
sofá
cortina
calefacción
escritorio
ascensor
habitación
garaje
terraza
salón
recibidor
lámpara

14. ¿Cuáles de estos muebles y objetos te gustan más? ¿Por qué? Elige uno de cada tipo y escribe frases justificando tu elección.

sillón giratorio **225 €**	sofá de dos plazas **395 €**	reloj despertador **30 €**	mesilla de noche **25 €**
sillón reclinable **125 €**	sofá de esquina **1150 €**	reloj de pared **35 €**	escritorio **275 €**
sillón de orejas **340 €**	sofá cama **685 €**	reloj digital **22 €**	mesa para reuniones **680 €**

Yo prefiero el sillón de orejas porque...

15. Escribe los contrarios de estas palabras.

bonito/a	**feo/a**	seguro/a	
cómodo/a		exterior	
moderno/a		peor	
barato/a		corto/a	
pequeño/a		lleno/a	

16. Completa las frases con la forma adecuada de los verbos de la derecha.

1. No es un negocio arriesgado; en poco tiempo podemos .... la inversión.

2. Cuando vamos de viaje, siempre .... un coche.

3. .... en este negocio es arriesgado porque no conocemos el mercado.

4. Con este sistema informático, las empresas .... tiempo y dinero.

5. Los españoles prefieren .... su vivienda porque los alquileres son caros.

amortizar
invertir
ahorrar
comprar
alquilar

17. Busca en la columna de la derecha palabras con un significado parecido a las de la izquierda.

1	casa	a	sin mucho riesgo
2	seguro	b	moderno
3	innovador	c	hogar
4	acogedor	d	mesa
5	renovado	e	aseo
6	sala de convenciones	f	confortable
7	escritorio	g	gimnasio
8	habitación	h	dormitorio
9	lavabo	i	sala de conferencias
10	sala de *fitness*	j	reformado

18. En un periódico español han aparecido estos cinco anuncios. Imagina que tienes un capital de 150 000 euros para invertir en alguna empresa o para abrir un negocio. Elige uno de los anuncios y escribe en tu cuaderno un texto justificando tu elección (intereses personales, inversión, rentabilidad, etc.).

Para mí, el mejor negocio es ... porque...

ABADETXEA
Cocina vasca

FRANQUICIAS
Inversión inicial:
110 000 €
Amortización:
2 años y medio
Rentabilidad:
20%

El éxito de los establecimientos **Abadetxea** se basa en una amplia oferta de platos típicos de la cocina vasca presentados en forma de tapas que el propio cliente puede servirse directamente de la barra.

Es el momento de actuar...

Inter marché

Intermarché es el tercer grupo de supermercados de Francia, con un volumen de negocios anual de 10 000 millones de euros. En España de momento hay 80 establecimientos repartidos por todo el territorio. Con una inversión inicial de solo 90 000, tiene la opción de crear su propio supermercado **Intermarché**. Máxima rentabilidad asegurada.

El futuro en sus manos   ST

SOLUCIONES TERAPÉUTICAS es una empresa biotecnológica de reciente creación con sede en Madrid. Su misión es descubrir y desarrollar terapias innovadoras para el tratamiento de enfermedades cardiovasculares, inflamatorias, diabetes, obesidad, etc. Los promotores del proyecto son el doctor Luis Fernández y Margarita Alonso, catedrática de Bioquímica y Biología Molecular. Se buscan inversores (mínimo 100 000 €) para consolidar la empresa y poder acceder a nuevos ámbitos de investigación y desarrollo.

¡Atrévete!

RADIKAL

Empresa especializada en deportes de aventura busca inversores

RADIKAL es una empresa valenciana especializada en todo tipo de deportes de aventura y montaña: *rafting*, descenso de barrancos, piragüismo, senderismo, espeleología...

RADIKAL cuenta con un equipo de profesionales muy cualificados: guías oficiales de montaña y río, expertos en escalada, etc.

Inversión inicial: mínimo 12 000 euros
Rentabilidad aproximada: 40%
Amortización: 2 años

REPSPORT
MARKETING DEPORTIVO

REPSPORT es una empresa especializada en marketing deportivo con sede en Barcelona. Su misión es ofrecer ayuda a las empresas que quieren utilizar el patrocinio deportivo como herramienta de marketing.

Inversión inicial: 30 000 €
Rentabilidad: 25%
Amortización esperada: 4-5 años

1. Elige la opción más adecuada.

1. Señor Laguna, _____ al señor Andersen.
- a. presento
- b. le presento
- c. nos presento
- d. les presento

2. El nuevo jefe de Contabilidad es un poco _____ .
- a. simpático
- b. guapo
- c. amable
- d. tímido

3. ● ¿ _____ la señora Corral?
   ● Sí, _____ en su despacho.
- a. Está/es
- b. Es/está
- c. Es/es
- d. Está/está

4. ¿Quién _____ el Departamento de Comunicación?
- a. hace
- b. lleva
- c. está
- d. es

5. ● ¿Quién _____ Concha Sevilla?
   ● Es la nueva gerente.
- a. es
- b. está
- c. hace
- d. lleva

6. ● ¿Dónde _____ la fotocopiadora?
   ● _____ los archivadores.
- a. es/Al lado de
- b. está/Lejos
- c. está/Al lado de
- d. está/Cerca

7. ● ¿Cuándo abren los bancos en verano?
   ● _____ ocho _____ tres, creo.
- a. A las/a las
- b. Las/las
- c. De/las
- d. De/a

8. ¿ _____ los restaurantes a mediodía en España?
- a. A qué hora tienen
- b. Qué hora abren
- c. Qué hora tienen
- d. A qué hora abren

9. ¿Sabes dónde _____ restaurante por aquí?
- a. hay
- b. está un
- c. hay un
- d. hay el

10. ● _____ enviar un paquete.
    ● Sí, un momento por favor.
- a. Puedo
- b. Quería
- c. Tengo
- d. Sabes

11. Luis y yo _____ a una reunión esta tarde.
- a. tenemos ir
- b. tenemos que ir
- c. tenéis que ir
- d. tenemos

12. La casa _____ más grande que el piso;
    _____ muchos más metros cuadrados.
- a. es/es
- b. está/tiene
- c. es/tiene
- d. tiene/tiene

13. El sofá pequeño cuesta 350 € y el grande 700 €;
    el sofá grande cuesta _____ que el pequeño.
- a. la mitad
- b. lo mismo
- c. el doble
- d. mucho

14. Mi casa es _____ moderna _____ la de Ana.
- a. mejor/que
- b. más/que
- c. un poco/que
- d. la más/que

15. ● ¿ _____ ?
    ● Sí, toma.
- a. Tienes un lápiz
- b. Necesito un lápiz
- c. Escribes con lápiz
- d. Tienen lápiz

16. El piso _____ en un barrio tranquilo.
- a. es
- b. tiene
- c. está
- d. va

17. El centro comercial está _____ centro.
- a. más cerca
- b. más cerca de
- c. muy cerca del
- d. muy cerca

18. El hotel _____ 120 habitaciones.
- a. es
- b. está
- c. hace
- d. tiene

19. Ana y María _____ todos los días al gimnasio.
- a. hacen
- b. van
- c. son
- d. están

20. ¿ _____ alquilar un coche pequeño?
- a. Cuánto cuestan
- b. Cuánto dinero
- c. Cuánto precio
- d. Cuánto cuesta

Resultado: _____ de 20

2. Pedro está de vacaciones en los apartamentos Sol y Mar de Palma de Mallorca. Lee el correo electrónico que escribe a sus amigos y corrige en el anuncio los datos que no son correctos.

Apartamentos Sol y Mar (Palma de Mallorca)

Situación: en la zona residencial de la Bonanova, a 10 minutos del centro de Palma. Muy cerca de la playa.

Características: apartamentos de dos habitaciones (80 m²) que disponen de teléfono, ordenador con conexión a Internet, equipo de música y televisión.

Instalaciones: dos piscinas (adultos y niños), parque infantil, gimnasio, restaurante, discoteca y parking.

Descuentos: los menores de tres años pagan la mitad.

¡Hola! ¿Qué tal?
Por aquí, todo muy bien. Estamos en una zona muy bonita, a unos 10 minutos del centro de Palma. El apartamento no es muy grande y solo tiene una habitación, pero es bastante bonito y tiene televisión, teléfono y un ordenador con conexión a Internet. En la zona hay de todo: dos piscinas, un gimnasio, un bar y hasta un parque infantil. El único inconveniente es que estamos un poco lejos de la playa.
¡Hasta pronto!

Pedro

Resultado: _____ de 10

CD 37

3. Escucha los diálogos y escribe en el plano dónde está la oficina de Correos, el centro comercial, el banco, la farmacia y el restaurante.

1

Hotel

Avenida Carlos V

2

Gasolinera | Estación de metro

Museo | **3** | Estación de autobuses

Calle Granada

Policía | **4**

Cine | Parking | **5**

1 _____

2 _____

3 _____

4 _____

5 _____

Resultado: _____ de 10

4. Imagina que quieres vender tu casa. Una agencia inmobiliaria necesita saber cómo es. Descríbela.

Resultado: _____ de 10

TOTAL: _____ de 50

7

Agenda de trabajo

1. Escribe las letras que faltan de los días de la semana. Luego, escríbelos en el orden adecudado.

m a r t e s
j u e v e s
s á b a d o
l u n e s
d o m i n g o
m i é r c o l e s
v i e r n e s

1	**lunes**
2	martes
3	miércoles
4	jueves
5	viernes
6	sábado
7	domingo

2. Lee este artículo sobre los horarios en España y, luego, completa el cuadro.

Los días son más largos en España

Cada vez es más habitual trasladarse a España por motivos laborales. En general, la adaptación al clima y a la comida no supone una gran dificultad para los nuevos residentes. Según un estudio reciente, la cuestión que más sorprende a los extranjeros es la diferencia de horarios entre España y sus países.

Comer a mediodía, por ejemplo, no significa comer a las doce sino a las dos. En general, en España la gente sale del trabajo a las siete de la tarde y cena a las nueve o a las diez de la noche. Por esa razón, muchos se acuestan tarde, entre las doce y la una, aunque al día siguiente tienen que levantarse entre las siete y las ocho de la mañana.

Cuando llega el fin de semana, casi todo el mundo sale a la calle, especialmente los jóvenes. Las cenas en los restaurantes empiezan a las diez de la noche y se alargan hasta las doce o la una; ese es el mejor momento para tomar algo en uno de los muchos bares que siempre hay cerca. Hacia las dos de la madrugada, los que no quieren irse a dormir optan por acabar la noche en alguna discoteca, donde pueden bailar hasta que cierran las puertas (nunca antes de las cinco o las seis de la mañana).

A la mayoría de los residentes extranjeros les parece que en España todo se hace un poco tarde en comparación con sus países, pero aseguran que no es un problema demasiado grave.

En general, la gente...	en España	en mi país
come	a las dos	a las doce y media o a la una.
sale del trabajo	a las siete.	a las siete.
cena	a las nueve o a las diez de la noche	a las siete y media o a las ocho.
sale a tomar algo el fin de semana	empieza a las diez	empieza a las siete y media
va a la discoteca	hasta a las cinco o las seis de la mañana.	hasta las dos o las tres de la mañana.

palabra - word
sustantivos - noun

noun

3. ¿Qué sustantivos corresponden a estos verbos? Escríbelo. *find corresponding noun.*

1. reunirse	**la reunión**		8. salir	*la salida*
2. comer	*la comida*		9. organizar	*la organización*
3. cenar	*la cena*		10. promocionar	*el promotor (ora)*
4. visitar	*la visita*		11. vender	*el vendedor (ora)*
5. trabajar	*el trabajo.*		12. comprar	*el comprador (ora)*
6. llegar	*la llegada*		13. entrevistar	*el entrevistador (ora)*
7. durar	*la duración*		14. descontar	*Dependiente*

4. A. Tu compañero y tú trabajáis en una cadena de televisión. Tenéis preparada la programación de casi todo el día, pero os falta un programa para cada franja horaria. Aquí tenéis una lista de posibilidades. Decidid a qué hora se emiten.

Dinerito fresco (concurso)

Noticias 24 (informativo)

Por la mañana (magacín)

Policías de Madrid (serie)

Algo más que un jefe (película)

Mañana	
06:00	Las noticias de la mañana (informativo)
07:00	Supercampeones (dibujos animados)
09:00	Ana Lucía (telenovela)
10:30	?
Mediodía	
13:30	Las recetas del chef (programa de cocina)
14:00	?
14:45	El tiempo
Tarde	
15:00	Un nuevo amor (telenovela)
17:15	Siempre contigo (magacín)
19:00	?
20:00	Hoy jugamos todos (programa deportivo)
Noche	
21:00	Noticias 24 (informativo)
21:45	El tiempo
22:00	?
Madrugada	
00:00	Cine de medianoche: *Matrix* (V.O. con subtítulos)
02:45	?
03:45	Naturaleza extrema (documental)

● Podemos poner la película a las 10 de la noche.
● Sí, es buena hora para una película.

B. Ahora, compara esta parrilla de televisión con una de tu país. ¿Son parecidas? ¿En qué se diferencian? ¿Hay algo que te sorprende? Coméntalo con tu compañero.

● En mi país normalmente los informativos empiezan a las 7.

CD 38 **5. A.** Ángeles tiene que hacer unas gestiones en la ciudad y llama por teléfono a la Oficina de Atención al Ciudadano. Marca en los recuadros de la izquierda los lugares por los que pregunta.

		DÍAS	HORARIO
	Cámara de Comercio		
	Oficina de turismo	Lunes	
	Zoo	Lunes	
	Oficina de prensa del ayuntamiento		
	Polideportivo municipal	Domingo	
	Conservatorio Superior de Música		
	Colegio de Ingenieros		
	Cámara de la Propiedad Urbana	Jueves	

CD 38 **B.** Ahora, vuelve a escuchar y escribe qué días abren los establecimientos y cuál es su horario.

6. A. Completa con las preposiciones **a**, **de** o **por**.

1. ● ¿Podemos vernos mañana __por__ la mañana?
   ● Mejor __a__ mediodía.
   ● Vale, pues podemos comer juntos.

2. ● Hoy __a__ las cinco voy al cine con Paco.
   ● ¿Ah, sí? Yo voy mañana __por__ la noche.

3. ● ¿Qué haces mañana __por__ la tarde?
   ● Tengo una cita con el abogado.
   ● ¿A qué hora?
   ● __A__ las seis.

4. ● ¿Hoy también sales del trabajo __a__ las siete?
   ● No, hoy no trabajo __por__ la tarde. Tengo la tarde libre.
   ● ¡Qué suerte!

5. ● Mañana tengo que levantarme __a__ las seis y media __de__ la mañana.
   ● Pues yo __a__ las seis.

6. ● ¿Nos vemos __a__ las nueve?
   ● ¿ __A__ las nueve __de__ la mañana?
   ● No, hombre no, __de__ la noche.

B. Ahora, completa el cuadro con las preposiciones anteriores.

__Por__	la tarde la mañana la noche		
__A__	las 10 las 10 y media las 10 menos cuarto	__de__	la mañana la noche
__A__	mediodía		

select.

7. A. En parejas, elegid a una de estas personas. Imaginad qué hace los domingos, desde que se levanta hasta que se acuesta, y escribidlo.

Luis Miguel	Roberta	Marcos	Patricia

Arturo	Nieves	Hugo	Beatriz

Aunque Patricia es la estudiante durante la semana, él fin de semana es anfitriona de la discoteca. Luego los domingos levanta se casi siempre por la tarde. A las dos de tarde ella almuerza, luego a las cuatro fornica con su novio, por último llega a la discoteca otra vez trabajar.

> por la mañana
> a mediodía
> por la tarde
> por la noche

> siempre
> casi siempre
> normalmente
> a veces

B. Leed las notas en voz alta. Vuestros compañeros tienen que descubrir quién es.

C. Ahora, explícale a tu compañero qué haces tú los domingos.

8. A. Completa el cuadro con las formas que faltan.

Handwritten annotations above table: (ie) — Hago — e→i) — u→(ue) (ie) — e→ie — o→ue

to begin — to do — to repeat — to play — to close — to go to bed

	EMPEZAR	HACER	REPETIR	JUGAR	CERRAR	ACOSTARSE
yo	empiezo	hago	**repito**	juego	cierro	**me acuesto**
tú	**empiezas**	haces	repites	**juegas**	cierras	te acuestas
él, ella, usted	empieza	**hace**	repite	juega	cierra ? cierra.	se acuesta
nosotros/as	empezamos	hacemos	repetimos	**jugamos**	cerramos	nos acostamos
vosotros/as	empezáis	**hacéis**	repetís	jugáis	**cerráis**	os acostáis
ellos/as, ustedes	**empiezan**	hacen	**repiten**	juegan	cierran	se acuestan

Handwritten below columns: (ie) — (go) — (X) — (ue) irregular? — (ue)

B. ¿Qué tipo de irregularidad tienen los verbos anteriores? Completa el cuadro.

E>IE	U>UE	O>UE	E>I	1ª persona del singular
empezar cerrar.	jugar.	poder. volver.	repetir.	hacer. saber salir (salgo) decir (digo, dices

C. Ahora, coloca estos verbos en su columna correspondiente.

vengo pongo.

dormir   salir   pedir   dar   saber   sentir (lo siento)   decir   poder   venir   poner   querer   volver

leave / go out depart — request — doy give — feel — say — annoy? — come — put — want — return.

CD 39 **9.** Escucha los verbos y marca a qué persona corresponden.

	1	2	3	4	5	6	7	8	9	10
yo				✓						✓
tú					✓				✓	
él, ella, usted		O				✓				
nosotros/as	✓									
vosotros/as							✓	✓		
ellos/as, ustedes		✗	✓							

statements

10. A. ¿Con cuáles de estas afirmaciones te identificas? Márcalo.

✓ *learn*
Quiero aprender español en poco tiempo.

Siempre llego tarde al trabajo. ✗

✓ *too many*
Estoy demasiadas horas en la oficina.

No me gusta el trabajo que hago. ✗

✗ Hago poco ejercicio.

Veo demasiado la televisión. ✗

✓ *sleep – about*
Normalmente duermo unas seis horas.

Nunca tengo tiempo para desayunar. ✗

? *find floor quickly (flat)*
Tengo que encontrar piso rápidamente.

Quiero mejorar la pronunciación. ✓

✗ Quiero encontrar un buen trabajo.

salary
Tengo un sueldo demasiado bajo. ✓

B. Ahora, cuéntaselo a tu compañero. Él o ella te puede dar consejos.

give advice

✱
● Quiero aprender español en poco tiempo.
■ Tienes que estudiar más en casa, leer periódicos en español...

11. Pregunta a tres compañeros a qué hora realizan estas actividades entre semana y los fines de semana y completa el cuadro.

Nombres	levantarse		comer		cenar		acostarse	
	entre semana	los fines de semana	entre semana	los fines de semana	entre semana	los fines de semana	entre semana	los fines de semana

✱
● ¿A qué hora te levantas entre semana?
● A las ocho menos cuarto.
● ¿Y los fines de semana?

12. A. Ordena estos principios de conversaciones telefónicas.

beginning conversations

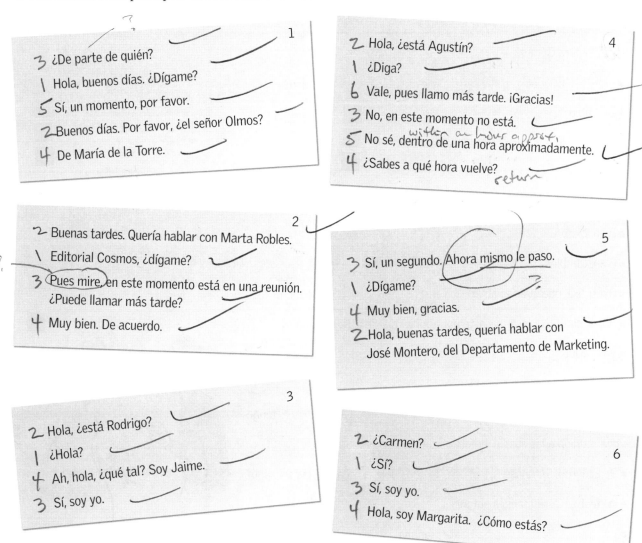

1
3 ¿De parte de quién?
1 Hola, buenos días. ¿Dígame?
5 Sí, un momento, por favor.
2 Buenos días. Por favor, ¿el señor Olmos?
4 De María de la Torre.

4
2 Hola, ¿está Agustín?
1 ¿Diga?
6 Vale, pues llamo más tarde. ¡Gracias!
3 No, en este momento no está.
5 No sé, dentro de una hora aproximadamente. *within an hour approx.*
4 ¿Sabes a qué hora vuelve? *return*

2
2 Buenas tardes. Quería hablar con Marta Robles.
1 Editorial Cosmos, ¿dígame?
3 Pues mire, en este momento está en una reunión. ¿Puede llamar más tarde?
4 Muy bien. De acuerdo.

5
3 Sí, un segundo. Ahora mismo le paso.
1 ¿Dígame?
4 Muy bien, gracias.
2 Hola, buenas tardes, quería hablar con José Montero, del Departamento de Marketing.

3
2 Hola, ¿está Rodrigo?
1 ¿Hola?
4 Ah, hola, ¿qué tal? Soy Jaime.
3 Sí, soy yo.

6
2 ¿Carmen?
1 ¿Sí?
3 Sí, soy yo.
4 Hola, soy Margarita. ¿Cómo estás?

CD 40-45 **B.** Ahora, escucha y comprueba.

13. Trabajas en la recepción de una compañía de seguros. Tu jefa, la señora Ojeda, tiene mucho trabajo y no quiere recibir ninguna llamada. Inventa cuatro excusas diferentes. ¿Qué dirías al teléfono? Escríbelo.

1 **Lo siento, la señora Ojeda...**

2

3

4

14. Completa esta conversación telefónica con las palabras y expresiones de la derecha.

- Seguros Bertrán. _¿Dígame?_

- ¿La señora Gómez, _por favor_?

- _Sí un momento de parte_ de quién?

- De Pablo Arias.

- Ahora mismo le paso con ella, señor Arias.

- _Muchas gracias._

- Hola Pablo. ¿Qué tal? _¿Cómo estás?_

- Bien, bien. _¿Y tú?_

- Bien, también.

- Oye, mira, que quería hablar _contigo_ de lo de mi seguro.

- Ah, sí, claro. ¿Quieres pasarte por aquí un día de esta semana?

- Vale. ¿Qué tal _mañana_ por la tarde?

- Bueno... ¿A las cinco te va bien?

- No, _mejor_ a las seis, _es que_ tengo una reunión a las cuatro y media.

- De acuerdo. Entonces _quedamos_ mañana a las seis aquí.

- Perfecto. Hasta mañana entonces.

- _Adiós_. Hasta mañana.

Lista (columna derecha):
¿Cómo estás?
mañana
Muchas gracias
¿Dígame?
mejor
por favor
es que
quedamos
Sí, un momento
contigo
Adiós
¿Y tú?
De parte

CD 46 **15.** Vas a escuchar una serie de preguntas. Escribe las respuestas.

1 Hoy es viernes.	7 No, voy en autobús al trabajo.
2 Normalmente los sábados por la mañana duermo.	8 Sí, por la mañana tomo un café.
3	9
4	10 Salís por la noche los ___ de semana
5 Sí, estudio Español por la noche y también por la tarde.	11 A que hora ___ esta semana.
6 Miércoles estoy muy ocupado. - mas trabajo.	12 Como en mi oficina a os mediodía.

88

16. A. Relaciona las acciones con los dibujos.

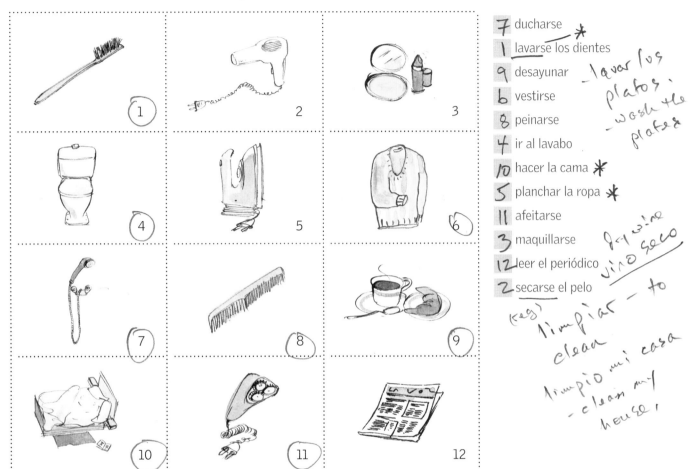

7 ducharse *

1 lavarse los dientes

9 desayunar

6 vestirse

8 peinarse

4 ir al lavabo

10 hacer la cama *

5 planchar la ropa *

11 afeitarse

3 maquillarse

12 leer el periódico

2 secarse el pelo

(handwritten annotations: - lavar los platos. - wash the plates; frequine vino seco; (reg) limpiar - to clean; limpio mi casa - clean my house!)

B. Ahora, marca lo que haces tú por la mañana antes de salir de casa.

write in order of what you do before leaving the house — sentence using connectors

C. Escribe en qué orden realizas estas u otras actividades antes de salir de casa por la mañana.

Me levanto a las seis por la mañana y primero voy al lavabo. Después me afeito la barba, me ducho y me peino el pelo. Luego ~~me~~ desayuno con el yogur y el plátano - más tarde bebo el café a la oficina. Por último me lavo los dientes. (¡No hago la cama o plancho la ropa porque tengo la sirvienta!)

> primero
> después *after*
> luego *then*
> más tarde

mas que - although; mas si - perhaps if

89

17. A. Lee estas palabras en voz alta.

Quito   **pipa** ~pipe~   **pico** ~mouth~ **copa** ~cup~ **Pepa**   **tapa** ~snack~

poca ~little~   **taco**   **ocúpa** ~deals?~ **gato**   **pato** ~duck~   <u>**toca**</u> ~? to touch~
                    ~squatter~

~offerd~

B. Ahora, escucha y repite. (Fíjate) en que, en español, las vocales no se alargan como en otras lenguas y que tienen un único sonido. ~unique sound.~ └ ~to look very carefully.~

CD 47

~message~

18. A. Vas a escuchar los mensajes de tres contestadores automáticos. ¿De quién crees que son? Escribe el número que corresponda.

CD 48-50

2 de una familia   3 de una empresa   1 de un estudiante

B. Trabajas en una pequeña empresa. El mensaje de vuestro contestador automático se ha borrado. Antes de grabar un nuevo mensaje, prepara el texto por escrito.

Portfolio

19. A. ¿Eres adicto/a al trabajo? Haz este test. Luego, lee los resultados.

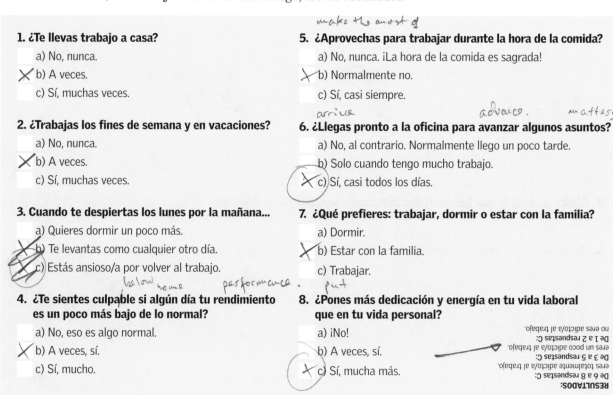

~make the most of~

1. ¿Te llevas trabajo a casa?
  a) No, nunca.
  ✗ b) A veces.
  c) Sí, muchas veces.

2. ¿Trabajas los fines de semana y en vacaciones?
  a) No, nunca.
  ✗ b) A veces.
  c) Sí, muchas veces.

3. Cuando te despiertas los lunes por la mañana...
  a) Quieres dormir un poco más.
  b) Te levantas como cualquier otro día.
  c) Estás ansioso/a por volver al trabajo.
  ~below~ ~home~ ~performance.~ ~put~

4. ¿Te sientes culpable si algún día tu rendimiento es un poco más bajo de lo normal?
  a) No, eso es algo normal.
  ✗ b) A veces, sí.
  c) Sí, mucho.

5. ¿Aprovechas para trabajar durante la hora de la comida?
  a) No, nunca. ¡La hora de la comida es sagrada!
  ✗ b) Normalmente no.
  c) Sí, casi siempre.

~arrive~ ~advance.~ ~mattress~

6. ¿Llegas pronto a la oficina para avanzar algunos asuntos?
  a) No, al contrario. Normalmente llego un poco tarde.
  b) Solo cuando tengo mucho trabajo.
  ✗ c) Sí, casi todos los días.

7. ¿Qué prefieres: trabajar, dormir o estar con la familia?
  a) Dormir.
  ✗ b) Estar con la familia.
  c) Trabajar.

8. ¿Pones más dedicación y energía en tu vida laboral que en tu vida personal?
  a) ¡No!
  b) A veces, sí.
  ✗ c) Sí, mucha más.

RESULTADOS:
De 6 a 8 respuestas C:
eres totalmente adicto/a al trabajo.
De 3 a 5 respuestas C:
eres un poco adicto/a al trabajo.
De 1 a 2 respuestas C:
no eres adicto/a al trabajo.

B. Ahora, reflexiona sobre tus respuestas y escribe algunos consejos para ti mismo.

Tengo que...

20. A. Escribe una lista con todo lo que tienes que hacer esta semana. Luego, organiza tu agenda.

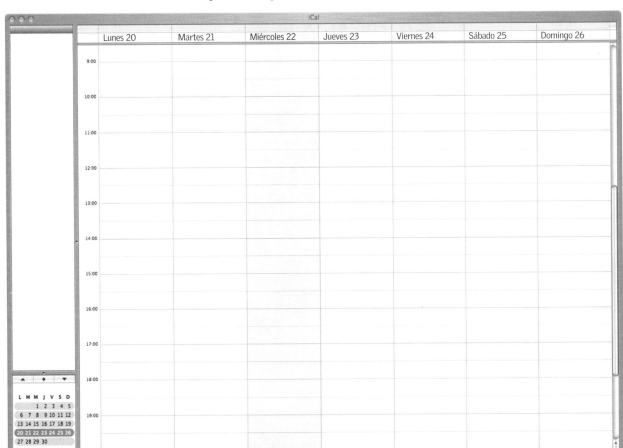

B. Esta semana también tienes que hacer estas cosas con tu compañero. Poneos de acuerdo para hacerlas juntos.

visitar a un distribuidor **hablar con el jefe sobre las horas extra**

ver un local que queréis alquilar **preparar el informe mensual**

cenar con el señor Montoro, un cliente **reuniros con los jefes de departamento**

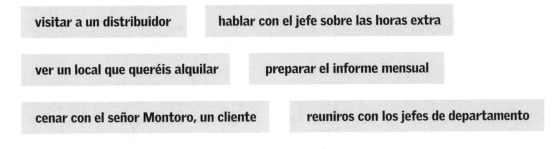

● Tenemos que visitar a nuestro distribuidor. Yo puedo el martes por la mañana. ¿Tú cuándo puedes?
● Yo el martes por la mañana no puedo. ¿Qué tal por la tarde?
● ¿A qué hora?

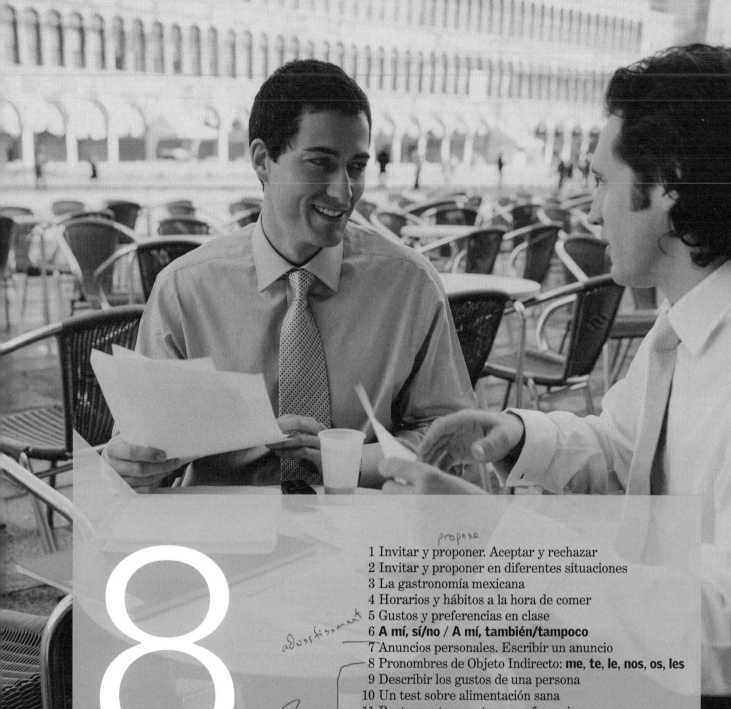

8
Citas y reuniones

1. Completa estos diálogos con las palabras de la derecha.

1 ●¿Te, _apetece_ tomar algo?

 ● _¡Vale!_ .

2 ●¿ _Por qué_ no vamos al cine mañana?

 ● _Lo siento_ , pero mañana no puedo.

3 ●¿ _Y si_ cenamos mañana en mi casa?

 ●Vale, _perfecto_ .

4 ●Sra. Prieto, ¿ _Tom-Le_ apetece un poco de agua?

 ●No, _gracias_ .

5 ●¿Comemos juntos y hablamos?

 ●No, no puedo, _es que_ tengo mucho trabajo.

6 ●¿ _Tomamos_ un café?

 ● Lo siento, _pero_ ahora no puedo.

Y si
~~gracias~~
~~pero~~
Por qué
~~Vale~~
~~es que~~
~~Tomamos~~
perfecto
apetece
~~Lo siento~~
~~le~~

2. ¿Qué dices en estas situaciones? Escríbelo.

1	El Sr. Moragas, un cliente, llega a tu oficina. Ofrécele algo para beber.
2	Es la hora de comer. Quieres almorzar con Marta, una compañera de trabajo.
3	Tus compañeros quieren ir a cenar a un restaurante. A ti te gusta mucho Casa Pedro. Propónselo.
4	Quieres invitar a tus compañeros de trabajo a tomar algo para celebrar tu cumpleaños.
5	Es viernes por la tarde. Estás en la oficina con dos compañeros. Proponles ir al cine contigo.

3. A. ¿Te gusta la comida mexicana? ¿Crees que las siguientes afirmaciones son verdaderas (V) o falsas (F)?
Si no lo sabes, intenta adivinarlo.

	V	F
1. En México hay más de 50 variedades de chile.		
2. La tortilla española es de origen azteca.		
3. En México muchos platos llevan frijoles.		
4. La diferencia entre un burrito y un taco es la masa.		
5. En México es típico comer pollo acompañado de una salsa que lleva chocolate.		
6. El guacamole es un puré de maíz.		
7. En México existe un plato que lleva saltamontes.		

B. Ahora, lee el texto y comprueba tus respuestas.

Gastronomía mexicana

La cocina mexicana, milenaria, variada y con carácter propio, es una buena razón para visitar este gran país. ¡Buen provecho!

La gastronomía mexicana es conocida en todo el mundo. Su enorme variedad de platos se debe a las numerosas especias del país. Hay, por ejemplo, 60 clases distintas de chiles, desde los más dulces hasta los más picantes.

El ingrediente básico de la cocina mexicana es el maíz, que se come frecuentemente en forma de tortilla, creación azteca que nada tiene que ver con la tortilla española. Se trata de una masa delgada y flexible, hecha de harina de maíz, que sirve de base para muchos ingredientes. En general

se toma con carne, queso y frijoles (que están presentes en casi todos los platos); es lo que se conoce como "burrito". Si la masa es crujiente se llama "taco". Las enchiladas son tortillas mojadas en salsa, rellenas y luego fritas; las tostadas, tortillas con vegetales, carne y queso, y los tamales son tortillas que se envuelven con la propia hoja del maíz y que pueden tener distintos rellenos.

En México se preparan muchos platos con carne, sobre todo carne de cerdo. El cordero envuelto en hojas de maguey (una planta autóctona) y enterrado bajo el fuego se llama "barbacoa". El pollo

se prepara de muchas maneras, pero una de las más famosas es el pollo con mole, una salsa que lleva más de 30 ingredientes, entre ellos, pimiento y chocolate.

Los amantes de la cocina exótica pueden saborear platos tan especiales como los chalupines (saltamontes o grillos), que se comen en tortillas con guacamole (puré de aguacate y cebolla). Y para los más exigentes, es muy recomendable la nueva cocina mexicana, un estilo que combina recetas, técnicas e ingredientes tradicionales con aquellos de la alta cocina internacional.

4. A. Lee lo que dicen estas cuatro personas sobre su horario y sus hábitos a la hora de comer. ¿Qué cosas son iguales en tu país? ¿Hay cosas que te sorprenden? Coméntalo con tu compañero.

1. Miguel, contable, Madrid
Yo trabajo en el centro de Madrid y casi siempre salgo a comer fuera. Normalmente voy solo pero a veces me acompaña algún compañero de trabajo o algún cliente. Aunque, la verdad, prefiero ir solo; así puedo leer el periódico y desconectar un poco. Normalmente voy a un restaurante que está muy cerca del trabajo y que tiene un menú de 9 euros que está bastante bien. El sitio no es muy bonito pero la comida me gusta mucho. Solo tengo una hora para comer, de 2 a 3.

2. Edith, auxiliar administrativa, México D. F.
Yo a mediodía tengo una hora y media para comer. Normalmente traigo comida preparada de la casa y como en la empresa con algunos compañeros. Así ahorro un poco. Además, no me gusta mucho la comida de los restaurantes que hay en la zona donde trabajo. Prefiero la comida casera.

3. Ana, arquitecta, Barcelona
Yo hago jornada intensiva, o sea que todos los días como en casa. Salgo a las 3 y, como vivo bastante cerca del trabajo, a las 3 y media aproximadamente ya estoy en casa. Normalmente como un plato de verduras o algo de pasta y de segundo carne a la plancha o un pescado. Me gusta comer sano.

4. Fabián, periodista, Buenos Aires
Yo los lunes y los martes tengo horario corrido hasta las 3 de la tarde, así que me voy a comer a casa, pero los otros días normalmente salgo a almorzar afuera. Casi siempre voy a un lugar que tiene un menú muy bueno y que está justo al lado del diario. Otros días simplemente almuerzo un sándwich delante de la computadora.

 ● En mi país la hora de la comida en las empresas normalmente es de 12 a 12 y media.

 B. Ahora, escribe un texto parecido a los anteriores sobre tus hábitos a la hora de la comida.

5. En tus clases de español seguro que hay algunas actividades que te gustan y otras que no. Escribe cinco frases usando elementos de las cajas como en el ejemplo.

[handwritten annotation: safe]

[handwritten annotation: boxes]

Me gusta mucho buscar palabras en el diccionario.

(no)	me	gusta gustan encanta encantan	Ø muchísimo mucho bastante nada	...

[handwritten annotations: love (next to encanta); very much (next to muchísimo); enough (next to bastante, circled: bastante)]

1 ✓ No me gusta nadar en la bahía contaminada.

2 ✓ Me gusta muchísimo comer tortillas y beber cerveza

3 No me encanta mucho trabajar hasta medianoche.

4 ✓ Me encanta nada leer.

5 No me gustan bastante ◯
[handwritten: odio] *[handwritten, circled: Odiar]*

6. ¿Compartes los gustos de esta persona? Escríbelo.

1 Me gusta trabajar sola.

2 No me gustan las reuniones de trabajo.

3 Me encanta hablar por teléfono.

4 Me gusta levantarme temprano.

5 No me gusta el café.

6 Me gusta navegar por Internet.

> A mí, sí
> A mí, no
> A mí, también
> A mí, tampoco

7 No me gusta escuchar música mientras trabajo.

8 Me gusta mucho viajar.

7. A. Estas personas quieren relacionarse con gente de otros países. ¿En qué coincides con ellos? Subráyalo.

Ref. 324

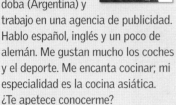

Me llamo Pablo y tengo veintiocho años. Vivo en Córdoba (Argentina) y trabajo en una agencia de publicidad. Hablo español, inglés y un poco de alemán. Me gustan mucho los coches y el deporte. Me encanta cocinar; mi especialidad es la cocina asiática. ¿Te apetece conocerme?

Ref. 278

¡Hola! Me llamo Laura y vivo en Ibiza. Trabajo como monitora en un gimnasio. Me gusta mucho bailar, leer y escuchar música (sobre todo música brasileña). También me encanta pasear por la playa y tomar el sol. Tengo veinticinco años, pero quiero conocer gente de todas las edades. *ages*

Ref. 498

Me llamo Daniel y soy colombiano, de Medellín. Tengo treinta y dos años y trabajo en un hotel. Hablo español, inglés y un poquito de alemán. Mi gran pasión son los animales, *horses* sobre todo los gatos y los caballos. *love Fido* Me encanta montar a caballo. ¿Quieres conocerme? Pues escríbeme.

B. ¿Con qué persona tienes gustos más parecidos? Coméntalo con tu compañero.

✱ ● Yo, con Laura. A las dos nos gusta bailar, nos gusta la actividad física y nos encanta la playa.

your own advert

Portfolio

C. Ahora escribe tu propio anuncio.

8. Relaciona estas dos columnas sobre los gustos de varias personas.

1	**A mis compañeros de trabajo**	a	**no te gusta nada ver la tele, ¿verdad?**	✓
2	**A ti**	b	**nos encanta el marisco.**	✓
3	**A vosotros**	c	**les gusta comer en restaurantes de lujo.**	✓
4	**A Pedro y a mí**	d	**le encantan las exposiciones de pintura.**	✓
5	**A mí**	e	**os gustan mucho los deportes, ¿no?**	✓
6	**A mi pareja**	f	**no me gusta la ópera.**	✓

9. Describe los gustos de Ramón.

> A Ramón le gusta...
> Probablemente no
> le gusta...

10. ¿Te alimentas de forma sana? Completa este test para averiguarlo.

1. ¿Tomas fruta?

a) Sí, siempre como algo de fruta por la mañana y normalmente también después de cenar.

b) No, casi nunca. Es que no me gusta mucho.

c) Sí, sí, claro, como mínimo tomo cuatro piezas de fruta cada día.

2. ¿Comes carne?

a) Sí, casi todos los días.

b) Sí, sí, me encanta. Casi siempre como algo de carne en la comida y en la cena.

c) A veces, pero siempre a la plancha.

3. ¿Comes pescado?

a) No, no mucho. Prefiero la carne.

b) Sí, algo de marisco a veces.

c) Sí, un par de veces por semana.

4. ¿Bebes agua?

a) Sí, un litro al día más o menos.

b) No, casi nunca. ¡Es que no tiene ningún sabor!

c) Sí, como mínimo dos litros al día.

5. ¿Tomas alcohol?

a) Sí, a veces un poco de vino con la comida.

b) Sí, todos los días tomo alguna copa.

c) No, nunca.

6. ¿Comes verduras?

a) Sí, casi todos los días.

b) ¿Verduras? Mmm... No, casi nunca.

c) Sí, es la base de mi alimentación.

7. ¿Comes pan?

a) Sí, en todas las comidas.

b) Sí, pero solo pan de molde.

c) Sí, pero siempre pan integral.

8. ¿Qué es para ti una buena cena?

a) Un plato de pasta y un bistec con patatas.

b) Una hamburguesa con patatas y un helado de chocolate.

c) Una sopa de zanahorias y pescado a la plancha.

RESULTADOS:
Mayoría de respuestas A: te alimentas de forma bastante equilibrada.
Mayoría de respuestas B: ¡atención! Tienes que cambiar algunos hábitos.
Mayoría de respuestas C: te alimentas de forma muy sana, pero puedes permitirte no ser tan estricto/a.

11. Juan y Merche quieren salir a cenar. Escucha la conversación. ¿A quién corresponde cada frase?

	Juan	Merche
Le gusta el pescado.	✓	
Es alérgico/a al pescado.		✓
Prefiere un restaurante sencillo.		✓
No le gustan demasiado los restaurantes vegetarianos.	✓	
Prefiere un restaurante exótico.	✓	
No le gusta mucho la carne.		✓

12. Las palabras de la columna de la izquierda aparecen en la actividad 6 de la página 82 del *Libro del alumno*. Localízalas y relaciónalas con sus equivalentes de la columna de la derecha.

1	cuenta con / dispone de		a	innovaciones
2	dotado de		b	ubicado
3	avances		c	alrededores
4	albergan		d	tiene
5	afueras		e	incluyen
6	amplios		f	equipado con
7	numerosas		g	acondicionado
8	rehabilitado		h	grandes
9	situado		i	muchas

13. Completa con los pronombres **le** o **les** este correo que Luisa envía a Silvia, una compañera de trabajo.

¡Hola Silvia!

Como sabes, pasado mañana es el cumpleaños de Agustín y de Anabel y no sabemos qué regalar............ .
Unos dicen que a Agustín podemos comprar............ una corbata y otros prefieren regalar............ una camisa;
no sabemos qué hacer. A Anabel yo creo que .... podemos comprar unos pendientes, pero a Carmen y
a Pedro no .... gusta la idea. ¿Y si .... regalamos una agenda a cada uno? No es muy original, ¿verdad?
¿Tú qué crees? ¿Tienes alguna sugerencia? Hoy tengo que salir antes de la oficina, pero Carmen y Pedro
terminan a las siete. ¿Puedes hablar con ellos y dar............ tu opinión?

Luisa

14. A. Forma frases uniendo elementos de las dos columnas.

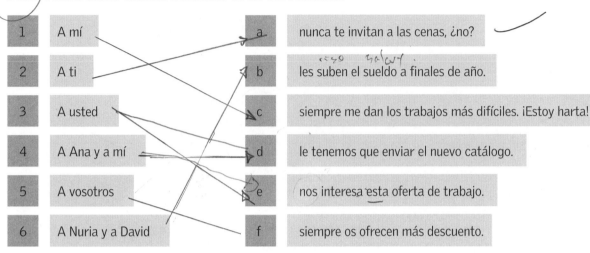

1	A mí	a	nunca te invitan a las cenas, ¿no?
2	A ti	b	les suben el sueldo a finales de año.
3	A usted	c	siempre me dan los trabajos más difíciles. ¡Estoy harta!
4	A Ana y a mí	d	le tenemos que enviar el nuevo catálogo.
5	A vosotros	e	nos interesa esta oferta de trabajo.
6	A Nuria y a David	f	siempre os ofrecen más descuento.

B. Ahora, completa el cuadro con los pronombres de Objeto Indirecto.

a mí	a ti	a él a ella a usted	a nosotros a nosotras	a vosotros a vosotras	a ellos a ellas a ustedes

15. Ordena esta conversación entre el camarero de un restaurante y dos clientes.

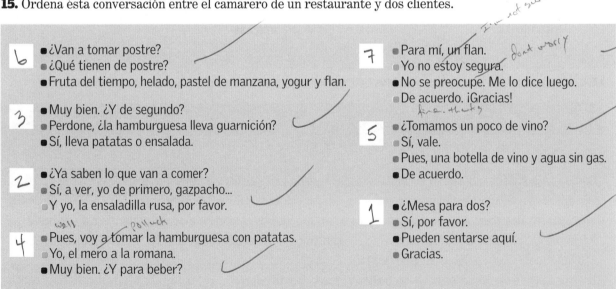

6
- ¿Van a tomar postre?
- ¿Qué tienen de postre?
- Fruta del tiempo, helado, pastel de manzana, yogur y flan.

3
- Muy bien. ¿Y de segundo?
- Perdone, ¿la hamburguesa lleva guarnición?
- Sí, lleva patatas o ensalada.

2
- ¿Ya saben lo que van a comer?
- Sí, a ver, yo de primero, gazpacho...
- Y yo, la ensaladilla rusa, por favor.

4
- Pues, voy a tomar la hamburguesa con patatas.
- Yo, el mero a la romana.
- Muy bien. ¿Y para beber?

7
- Para mí, un flan.
- Yo no estoy segura.
- No se preocupe. Me lo dice luego.
- De acuerdo. ¡Gracias!

5
- ¿Tomamos un poco de vino?
- Sí, vale.
- Pues, una botella de vino y agua sin gas.
- De acuerdo.

1
- ¿Mesa para dos?
- Sí, por favor.
- Pueden sentarse aquí.
- Gracias.

16. A. Relaciona las descripciones de los platos con las fotografías.

1. tortilla

2. paella

3. gazpacho

4. flan

☐ Es un postre muy típico. A veces se come con nata.	☐ Es una sopa fría que se toma en verano.
☐ Es el plato más característico de la cocina española.	☐ Se puede comer a todas horas, fría o caliente.

B. Ahora, completa la lista de ingredientes de cada plato.

huevo, arroz, pescado, caramelo, guisantes, vinagre, azúcar, tomate, pan, patatas

Tortilla: lleva huevos, aceite, cebolla y ....
Paella: lleva ...., ..., marisco, pimiento, ..., cebolla, tomate, aceite y sal.
Gazpacho: lleva ...., pepino, cebolla, ..., aceite, ... y sal.
Flan: lleva ...., ..., leche y ....

C. Piensa en cuáles son los tres platos más típicos de tu país y escribe con qué ingredientes se preparan.

Plato	Lleva...

noste
sus
este
oeste

17. Lee este menú. ¿Qué eliges? Escríbelo.

Restaurante Las Palomas

Menú del día

Primer plato
Ensalada variada
Lasaña de espinacas
Gazpacho
Sopa de pescado
Paella ← *primer ??*

***

Segundo plato
Calamares a la romana
Merluza al horno
Chuletas de cordero *lamb.*
Pollo al ajillo *garlic.*
Sardinas a la brasa *bbq.*

Postre
Melón
Pastel de manzana
Flan
Helado
Yogur

***

Pan, vino, cerveza o agua

***

9,50 €

IVA incluido

De primero...
• Sopa de pescado
Do segundo.
• Sardinas a la brasa.
Postre
• Melón
Para beber
• Vino tinto y agua con gas.

CD 52 **18.** Escucha y marca las palabras que oyes.

✓ peso	piso *floor*	✓ poca	boca *mouth*
✓ fino *fine*	pino *pine*	✓ harto *full*	✗ alto
pila *battery*	✓ fila *line*	mesa	✓ misa *? service at church.*
perro	✓ pelo	boda *? boot?*	✓ bota *boot*
✓ modo *way*	moto *motorcycle*	✓ bala	pala *shovel*

?

CD 53 **19.** Escucha y reacciona.

1	*Me gusta mas* Quiero el pescado.	5	Yo tambien. *(frutas)*
2	¿A mí? Me gusta la playa.	6	Prefiero trabajar mas tarde.
3	Lo siento. No tengo tiempo.	7	?
4	✗ Tortillas por favor.	8	Compro en la tienda real.

Si, tortillas español
lleva patatas.

20. Imagina que tienes que viajar a un país de habla hispana. ¿Qué cosas de beber y de comer crees que necesitas saber decir en español? Escríbelo. Puedes usar el diccionario.

Bebidas	Verdura	Fruta	Carne	Pescado
• el vino	• el maíz	• la guayaba	• el cerdo	• el bacalao
• la cerveza	• el cacto	• la papaya	• el pollo	• el siluro catfish
• la agua	• el tomate	• el mango	• la vaca	
• la leche	• el plátano	• la naranja	• el carnero mutton	• el tiburón shark
• el zumo de manzana	• la lechuga	• la piña	• el cordero	• el salmón
de naranja	• el frijol	• la uva	• el gallo cock	• la trucha trout
de caña	• la papa	• la sandía (melon de agua)	• la iguana	• la sardina
• el café				• el fletán

21. A. Tú y tus compañeros sois los responsables de organizar una cena para celebrar la adjudicación de un gran proyecto. Tenéis el restaurante reservado pero, además, queréis preparar algo especial para esa noche. Puede ser una sorpresa para todos los asistentes. Escribe una lista con tus propuestas.

B. En grupos de tres, elegid la mejor propuesta.

*   ● Podemos contratar una orquesta.   — magician
    ● ¿Una orquesta? ¿Y si contratamos a un mago?

C. Ahora, escribid una invitación comunicando a vuestros compañeros el día, la hora, etc., del evento.

Mis compañeros, este año tenemos la bonificación buena. Desde sugiero celebrar con una fiesta este viernes por la noche, ocho y media, en el restaurante de brazil "El Tucán". Tiene muchos platos con carne, pescado, marisco y verdura. Por ejemplo, las especialidades son "Bobo de Camarão", una sopa, "Feijoada" un plato esta hecho con frijoles, "rissoles" los panqueques con carne y "Arroz de Bruga" un plato con arroz, que originariamente portugués. ¿Suena bien? El mejor es el precio —¡muy barato!

103

9

Productos
y proyectos

CD 54 **1.** Escucha cómo se pronuncian estas palabras en español. ¿Se pronuncian igual en tu lengua?

PC	chárter	*free lance*	chic	*mobbing*
catering	Internet	chef	*leasing*	cómic
dossier	jersey	kilo	*hobby*	*holding*
máster	*stock*	*broker*	*briefing*	*jet set*
stand	*marketing*	*jazz*	parking	*blog*

2. A. Escribe el infinitivo de estos gerundios.

diseñando	**diseñar**	preparando		viendo	
produciendo		invirtiendo		vendiendo	
oyendo		haciendo		leyendo	
viviendo		durmiendo		trabajando	
diciendo		abriendo		escribiendo	

B. Ahora, coloca los gerundios anteriores en su columna correspondiente. Hay cinco que son irregulares.

-AR	-ER	-IR	IRREGULARES

C. ¿Sabes cómo se forma el Gerundio? Completa la regla.

El Gerundio se forma con la terminación .... para los verbos en **-ar**, y con la terminación .... para los verbos en .... y en ....

3. ¿Qué están haciendo estas personas? Escríbelo.

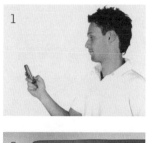   

1 **Está escribiendo un mensaje.**

2 ....

3 ....

4 ....

5 ....

6 ....

7 ....

8 ....

4. Mira el dibujo. Elige a una de estas personas. Tu compañero te hará preguntas para descubrir quién es.

✱
● ¿Está abriendo la puerta?
● No.
● ¿Está...?

5. A. Completa las listas.

Días de la semana	Meses del año		Estaciones del año
lunes	enero		primavera

B. Ahora, contesta a las preguntas.

1. ¿Qué día de la semana te gusta más? .... ¿Y qué día te gusta menos? ....

   ¿Por qué? ....

2. ¿En qué mes tienes que trabajar o estudiar más? ....

   ¿Por qué? ....

3. ¿Qué estación del año te gusta más? .... ¿Y qué estación te gusta menos? ....

   ¿Por qué? ....

6. Ordena cronológicamente estos marcadores temporales.

pasado mañana	dentro de dos años	en el 2016	el próximo año	el mes que viene
en diciembre	mañana	dentro de tres días	la semana que viene	en verano

> **hoy**

7. A. ¿Qué vas a hacer...? Escribe frases.

	Yo	Mi compañero
Esta noche		
Mañana		
Este fin de semana		
La semana que viene		
Dentro de dos meses		
El día de tu cumpleaños		
En Nochevieja		
En verano		
El próximo año		

B. Ahora, pregunta a tu compañero qué va a hacer y completa la otra columna.

 ● ¿Qué vas a hacer esta noche?
● Voy a ir al cine con unos amigos.

8. A. ¿Qué objetos o lugares te sugieren estos colores? Escribe una palabra para cada uno.

1. azul	
2. rojo	
3. blanco	
4. amarillo	

5. negro	
6. verde	
7. gris	
8. marrón	

B. ¿Cuál es tu color favorito? Escribe palabras que te sugieran ese color.

Color:	

C. Lee tu lista a tu compañero. Tiene que descubrir cuál es tu color favorito.

● El mar, el cielo, el agua...
● ¿Tu color favorito es el azul?
● Sí.

9. A. ¿Dónde puedes comprar estos objetos: en una ferretería o en una droguería? Completa el cuadro.

bolsas de basura	un interruptor	una cafetera	un cepillo de dientes	una esponja
jabón	un cuchillo	una bombilla	un limpiacristales	un enchufe

En una ferretería	En una droguería

B. Ahora, elige cuatro de los objetos anteriores y explica para qué sirven.

10. Escribe en la columna correspondiente nombres de objetos de cristal, de madera, de metal y de plástico.

Es de cristal	Es de madera	Es de metal	Es de plástico

11. Completa las frases con tus opiniones.

1. Para mí, vivir en la ciudad es _____ vivir en el campo.

2. En septiembre trabajo o estudio _____ horas _____ en octubre.

3. Jugar al tenis es _____ divertido _____ nadar.

4. Este año estoy estudiando _____ el año pasado.

5. Leer el periódico es _____ interesante _____ ver la televisión.

6. Trabajar en casa es _____ aburrido _____ trabajar en una oficina.

7. Los domingos duermo _____ horas _____ los lunes.

8. Para mí, es _____ comer fuera de casa _____ en casa.

> más/menos (...) que
> mejor/peor que
> tan ... como
> igual de ... que
> igual/lo mismo que
> tanto como
> tanto/a/os/as ... como
> el/la mismo/a ... que
> los/las mismos/as ... que

12. Escribe ocho frases comparando estos tres coches.

CITROËN C1

Precio: 9000 €
Largo: 343 cm **Ancho:** 163 cm **Alto:** 146 cm
Potencia: 68 caballos
Motor: 3 cilindros en línea, 998 cm³
Velocidad máxima: 157 km/h
Consumo medio: 4,6 litros cada 100 km
Plazas: 4 **Peso:** 1170 kg

HONDA AIRWAVE

Precio: 30 000 €
Largo: 435 cm **Ancho:** 169 cm **Alto:** 151 cm
Potencia: 110 caballos
Motor: 4 cilindros en línea, 1496 cm³
Velocidad máxima: 182 km/h
Consumo medio: 7 litros cada 100 km
Plazas: 5 **Peso:** 1250 kg

SEAT LEÓN

Precio: 18 000 €
Largo: 431 cm **Ancho:** 177 cm **Alto:** 146 cm
Potencia: 102 caballos
Motor: 4 cilindros en línea, 1595 cm³
Velocidad máxima: 184 km/h
Consumo medio: 7,5 litros cada 100 km
Plazas: 5 **Peso:** 1205 kg

1	**El Seat León consume más que el Honda Airwave.**
2	
3	
4	
5	
6	
7	
8	

13. A. Lee estas frases y después completa la regla.

1. El otoño es tan agradable como la primavera.

4. Mi coche consume tanta gasolina como el tuyo.

2. El jersey cuesta lo mismo que la camisa.

5. Ahora no tenemos tantos clientes como antes.

3. En primavera viajo tanto como en invierno.

6. Este año vamos a invertir el mismo dinero que el año pasado.

En las comparaciones de igualdad podemos utilizar diferentes estructuras:

.... + adjetivo + **como**

igual de + adjetivo + **que**

igual / **lo mismo** + **que**

.... + **como**

tanto / .... / .... / **tantas** + sustantivo + **como**

.... / **la misma** / **los mismos** / **las mismas** + sustantivo + **que**

B. Ahora, lee la información sobre estos dos restaurantes y escribe tres frases comparándolos. Utiliza algunas de las estructuras del apartado anterior.

Breve encuentro
Moderno restaurante madrileño especializado en cocina de mercado. Dispone de una carta original y cambiante y de un menú diario (14 euros) que incluye aperitivo, entrante, segundo plato y postre. El local tiene una capacidad para más de cien personas. Abre de lunes a domingo.

La Codorniz
Situado en un antiguo castillo del siglo XII, el restaurante La Codorniz ofrece una gran variedad de platos tradicionales de la cocina española y un menú diario de 14 euros. Entre las mesas de la terraza y la sala interior, puede albergar un máximo de cien personas. Abre todos los días de la semana.

1	
2	
3	

14. Carolina está buscando a Elena. Pregunta por ella a tres personas de la empresa. ¿Qué responden? Marca las respuestas en cada caso.

1. Juanjo le dice:

☐ Seguro que está ayudando a la recepcionista con el nuevo programa de cálculo.

☐ Seguro que está discutiendo con la recepcionista.

☐ Seguro que está con la recepcionista organizando la próxima feria de Valencia.

2. La recepcionista le dice:

☐ A lo mejor está en la sala de juntas hablando con la señora Fernández.

☐ A lo mejor está en el hospital visitando a la señora Fernández.

☐ A lo mejor está tomando un café en el bar con la señora Fernández.

3. La señora Fernández le dice:

☐ Me imagino que está en la recepción despidiendo al señor Ruiz.

☐ Me imagino que está comiendo con el señor Ruiz.

☐ Me imagino que está hablando del nuevo proyecto con el señor Ruiz.

15. ¿Qué están haciendo estas personas? ¿Qué crees que van a hacer? Formula hipótesis utilizando **seguro que**, **me imagino que**, **a lo mejor** o **quizá**.

Están cenando. Me imagino que van a pedir más vino.

16. A. Lee este artículo sobre un nuevo producto de la empresa Golosinas: el "chicletón". Fíjate en que esta palabra solo aparece una vez al principio del texto y otra al final; en los otros casos, la sustituye el pronombre **lo**. Subráyalo todas las veces que aparece.

Novedades empresariales

El chicle del futuro

Ana Sancho, directora de Marketing de Golosinas

El Departamento de Investigación y Desarrollo de la empresa Golosinas está preparando un nuevo producto. Se trata de un chicle que puede sustituir las comidas. Se llama "chicletón" y está diseñado especialmente para aquellos que, a causa del trabajo, no tienen tiempo para comer. En este momento, en Golosinas están realizando un estudio para decidir dónde van a distribuirlo y están probándolo entre un público adulto con edades que oscilan entre los veinticinco y los cuarenta años. Según Ana Sancho, directora de Marketing de la empresa, lo van a promocionar el próximo verano con el eslogan *"¿Por qué no lo pruebas?"*. La responsable de la comercialización del producto asegura que las perspectivas de venta son muy favorables. Según Sancho, hay mucha gente que lo está esperando e incluso hay varias empresas que lo quieren copiar: por esta razón, la fórmula del "chicletón" es absolutamente secreta.

B. Ahora, completa esta regla sobre la colocación de los Pronombres de Objeto Directo **lo**, **la**, **los** y **las**.

> Los Pronombres de Objeto Directo **lo**, **la**, **los** y **las** pueden ir detrás del .... o del Gerundio. Con un verbo en Presente (u otros tiempos) estos pronombres van delante. Por ejemplo: **¿por qué no lo compras?** Con perífrasis como **ir a** + Infinitivo, ... + Gerundio o **tener que** + ... y con estructuras como, **poder/querer** + ..., los pronombres pueden ir delante del verbo conjugado o después del Infinitivo o del Gerundio, pero no entre los dos. Por ejemplo: **tengo que venderlo** o **lo tengo que vender.**

17. Completa estos diálogos con un pronombre de Objeto Directo.

1 ● ¿Qué vamos a hacer al final con este producto?
  ● Creo que vamos a poner .... a la venta el mes que viene.

2 ● ¿Has visto mis llaves de la oficina? Es que no .... encuentro por ningún lado.
  ● No, no .... he visto, pero seguro que están en tu cajón.

3 ● Oye, ¿y la fiesta?
  ● Pues, mira, al final .... vamos a celebrar en casa de Daniel.

4 ● ¿Y el folleto? ¿Cuándo va a estar listo?
  ● Ahora mismo .... están diseñando. En principio, vamos a imprimir .... dentro de dos semanas.

5 ● Oye, este arroz está muy bueno. ¿Quieres probar ....?
  ● Pues sí. Gracias.

6 ● Oye, ¿sabes dónde compra Mario estas corbatas tan divertidas?
  ● Creo que .... compra por Internet.

18. A. Vas a escuchar una serie de descripciones. ¿De qué están hablando? Escribe el número que corresponda.

el coche

la tarjeta de crédito

el pasaporte

los zapatos

las sandalias

los pantalones

las gafas de sol

la agenda

 B. Ahora, escucha y comprueba.

C. Describe tú ahora uno de estos objetos. Tu compañero tiene que adivinar de qué objeto estás hablando.

el teléfono

los sellos

el mapa

la cafetera

el reloj

el diccionario

la silla

el paraguas

● Lo usas para hablar con amigos que están lejos.
● ¿El teléfono?

19. Estás navegando por Internet y en una página para estudiantes de español encuentras este mensaje. ¿Por qué no contestas?

¡Hola! ¿Qué tal?

Me llamo Ana María y soy una estudiante de Marketing. Estoy haciendo un estudio de mercado para una editorial y necesito tu ayuda. Tengo que preparar un trabajo sobre los estudiantes de español en el mundo. Necesito saber tus datos personales (nombre, edad, nacionalidad...) y a qué te dedicas (además de estudiar español). Si estás estudiando, cuándo vas a terminar tus estudios y qué vas a hacer después. Si estás trabajando, me gustaría saber cuáles son tus planes para el próximo año.

Por favor, contéstame. Prometo responder.

¡Saludos!

Ana María Rodríguez

 20. Aquí tienes la ficha técnica de un nuevo producto de la empresa Polar. Escribe un informe describiéndolo.

Nombre del producto: "Calorines".

Descripción y utilidad: son unas botas que aprovechan la energía que se produce al andar y la transforman en energía para calentar los pies. Sirven para no pasar frío a bajas temperaturas.

Materiales: goma, piel, chip.

Colores: marrón y rojo.

Tamaño: de la talla 37 a la 45.

Destinatarios: aficionados a la montaña y a la nieve y gente que vive en zonas frías.

Promoción: grandes almacenes y tiendas de deporte.

Distribución: en España, Francia, Italia, Suiza, Suecia, Alemania y Chile.

Publicidad: en revistas especializadas, Internet y programas de radio de deportes de montaña.

Fecha de lanzamiento: 1 de noviembre.

El nuevo producto se va a llamar "Calorines".

1. Elige la opción más adecuada.

1. Mañana _____ la mañana tengo que visitar a un cliente.

☐ a. de
☐ c. por
☐ b. a
☐ d. ø

2. ● ¿Cuándo es tu cumpleaños?
   ● _____ 17 _____ octubre.

☐ a. ø/de
☐ c. ø/ø
☐ b. El/de
☐ d. El/en

3. ¿A qué hora _____ a la oficina por la mañana?

☐ a. llegas
☐ c. eres
☐ b. sales
☐ d. tienes

4. El Sr. Rico los domingos normalmente _____ tarde.

☐ a. duerme
☐ c. trabajo
☐ b. se levanta
☐ d. queda en casa

5. ● ¿ _____ un café?
   ● ¡Vale!

☐ a. Vamos
☐ c. Tomamos
☐ b. Comemos
☐ d. Y si

6. Trabajas demasiado. _____ descansar un poco.

☐ a. Empiezas
☐ c. Sabes
☐ b. Prefieres
☐ d. Tienes que

7. ● A mí _____ las reuniones.
   ● _____ .

☐ a. me gusta/A mí, no
☐ c. me gustan/A mí, tampoco
☐ b. me gusta/A mí, sí
☐ d. me gustan/A mí, también

8. ¿Te _____ un café?

☐ a. quieres
☐ c. quiere
☐ b. apeteces
☐ d. apetece

9. Para mí, lo más importante es tener un _____ de trabajo estable.

☐ a. plaza
☐ c. puesto
☐ b. promoción
☐ d. condición

10. No me gusta _____ la carne.

☐ a. nada
☐ c. bastante
☐ b. poco
☐ d. también

11. ¿Qué _____ podemos comprar a Rosa?

☐ a. nos
☐ c. te
☐ b. me
☐ d. le

12. Mi ordenador tiene _____ memoria _____ este.

☐ a. la misma/que
☐ c. el mismo/que
☐ b. tanto/como
☐ d. tan/como

13. En Reflon están _____ la plantilla. Necesitan personal para las nuevas oficinas.

☐ a. produciendo
☐ c. desarrollando
☐ b. ampliando
☐ d. haciendo

14. _____ martes tenemos una reunión muy importante.

☐ a. En
☐ c. ø
☐ b. El
☐ d. Por

15. Mañana no puedo quedar, pero _____ sí.

☐ a. por la mañana
☐ c. ayer
☐ b. por la tarde
☐ d. pasado mañana

16. En Pipse van a _____ una bebida de un color muy especial.

☐ a. salir
☐ c. lanzar
☐ b. trabajar
☐ d. trasladar

17. Es muy bonito, pero ¿para qué _____ ?

☐ a. tiene
☐ c. cuesta
☐ b. sirve
☐ d. lleva

18. ¿Este reloj? No se dónde _____ fabrican.

☐ a. lo
☐ c. el
☐ b. la
☐ d. los

19. Me imagino que ahora está _____ con un cliente.

☐ a. a comer
☐ c. comer
☐ b. comiendo
☐ d. come

20. Mi coche no es tan bonito _____ el tuyo.

☐ a. que
☐ c. tanto
☐ b. más
☐ d. como

Resultado:	de 20

2. Lee las informaciones sobre estos seis restaurantes y completa las frases.

Don Fernando
Cocina tradicional castellana en las afueras de Madrid. Dispone de una agradable terraza para el verano. Precio medio: entre 30 y 40 euros. No cierra ningún día.

Mezcolanza
Cocina vegetariana y de fusión en pleno centro de Madrid. Ambiente moderno. Precio medio: entre 15 y 25 euros.

De miércoles a sábado hay sesiones de DJ a partir de medianoche y hasta las dos y media. Cierra los domingos a mediodía.

El asador de Romero
Un local lujoso y espacioso decorado con un inconfundible estilo castellano. El plato estrella es el cordero lechal. Precio medio: a partir de 50 euros. Cierra los lunes.

El patio
Cocina peruana en el centro de Madrid. Las especialidades son el cebiche y el seco de cordero. Precio medio: alrededor de 25 euros. Cierra los domingos por la noche y los lunes.

El rincón ecológico
Restaurante vegetariano. Todos los platos se elaboran con productos biológicos. Precio medio: alrededor de

25 euros. El restaurante dispone de una terraza y de una pequeña tienda. Cierra los lunes, los domingos por la noche y durante el mes de agosto.

Tacuarembó
La mejor carne uruguaya en un ambiente rústico y acogedor. Las especialidades son el bife de cuadril y el asado de tira. Precio medio: alrededor de 30 euros. No cierra ningún día.

1. Los restaurantes _____ y _____ están en el centro de Madrid.

2. Si quieres comer con un amigo vegetariano un domingo a mediodía, puedes ir a _____ .

3. En _____ y en _____ abren todos los días.

4. _____ cierra un mes en verano.

5. _____ es el restaurante más caro.

Resultado:	de 10

3. Javier Valdés tiene que concertar una cita con varias personas. Escucha las conversaciones y toma nota del día y de la hora de cada cita.

CITA CON	DÍA	HORA
1. la señora Medina		
2. Francisco Cruz		
3. Jorge		
4. el señor Pérez		
5. Mónica		

Resultado:	de 10

4. Vas a pasar unos días con una familia española. Escríbeles una carta o un correo electrónico para presentarte. Explica cómo eres, qué gustos tienes, tus aficiones, etc.

Estimados señores:
Me llamo...

¡Hasta pronto!
Saludos.

Resultado:	de 10

TOTAL:	**de 50**

10

Claves del éxito

1. A. Escribe las palabras de la lista en el lugar correspondiente del cuadro. Puedes añadir el artículo.

nombres	verbos
el control	controlar

nombres	verbos

control	invertir
controlar	reducción
oferta	inversión
disminuir	facturar
ofrecer	aumento
facturación	gasto
aumentar	pérdida
creación	gastar
consumo	incrementar
reducir	disminución
crear	consumir
perder	incremento

B. Ahora, completa estas frases con la opción correcta.

1. Cuando una empresa gasta mucho dinero en cursos para sus trabajadores, podemos decir que _____ mucho dinero en formación.

  A. **recibe** B. **ofrece** C. **invierte**

2. Lo contrario de la demanda es _____ .

  A. **la promoción** B. **la oferta** C. **el consumo**

3. Cuando una empresa despide a algunos trabajadores, podemos decir que ha hecho una _____ de plantilla.

  A. **reducción** B. **inversión** C. **incremento**

4. Cuando una empresa gana más dinero que el año anterior, podemos decir que _____ sus beneficios.

  A. **ha creado** B. **ha aumentado** C. **ha participado**

5. Cuando decimos que las exportaciones han disminuido, queremos decir que _____ .

  A. **han bajado** B. **han subido** C. **se han parado**

6. Cuando en una empresa suben las ventas, aumenta _____ .

  A. **el gasto** B. **la facturación** C. **el control**

7. Cuando suben las ventas de pan, podemos decir que ha aumentado _____ .

  A. **el incremento** B. **el consumo** C. **la inversión**

8. Cuando decimos que las pérdidas se han incrementado, estamos diciendo que las pérdidas _____ .

  A. **se han controlado** B. **han subido** C. **se han mantenido**

2. A. Lee el siguiente texto y escribe una lista con todos los productos que se citan.

La cesta de la compra

Durante el último año, el mercado interior ha tenido un comportamiento dispar en el sector agroalimentario. En el capítulo de productos que han aumentado sus ventas destacan los zumos, que han crecido un 11%. Les siguen las aguas minerales (10%) y los productos lácteos (7%). Debido a la bajada de los precios también ha subido un 5% el consumo de aceite de oliva.

Con crecimientos moderados, en torno al 2%, figuran la cerveza y la fruta. Los huevos han subido un 3,5%. Por su parte, la venta de vino se ha estabilizado pero con un ligero aumento del 1%.

La fruta ha tenido un crecimiento moderado

Entre los productos que han visto caer sus ventas están las patatas (un 7%), como consecuencia de la fuerte subida de los precios y no por un cambio en la tendencia de la demanda. El pollo ha sufrido una caída del 2% a pesar de que los precios no han subido. Ha bajado también la demanda de pan (3%) y de la carne de cerdo (6%).

Productos
zumos

B. Lee de nuevo el texto. Localiza estas palabras y expresiones. ¿A qué definición corresponden?

dispar	1. Productos derivados de la leche, como el queso, el yogur o la mantequilla
sector agroalimentario	2. Aproximadamente
productos lácteos	3. Suave, sencillo, modesto
moderado	4. Sector de la economía que agrupa la producción agrícola y ganadera y sus derivados
en torno a	5. Preferencia, inclinación, propensión
tendencia	6. Irregular, variado

C. Lee otra vez el texto y coloca los nombres de los productos en el gráfico.

CONSUMO DE PRODUCTOS AGROALIMENTARIOS

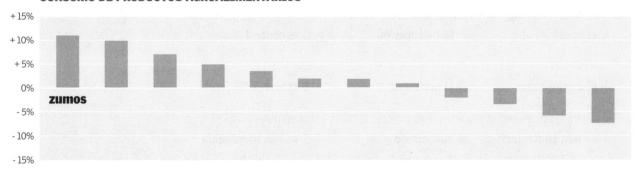

3. A. ¿Qué has hecho esta semana? ¿Qué te ha pasado? Márcalo.

He salido algunos días tarde del trabajo o de clase.

He hecho deporte.

He tenido varias reuniones.

He cenado fuera de casa.

He escrito un correo electrónico a un amigo.

He hablado por teléfono con mis padres.

He perdido un paraguas.

Me he puesto una corbata.

He comido en casa todos los días.

He comprado ropa.

He practicado mucho el español.

He hecho un examen.

He ido al banco.

He dicho una mentira.

B. Ahora, subraya los participios del apartado anterior y clasifícalos.

Regulares en -AR	Regulares en -ER	Regulares en -IR	Irregulares
		salido	

4. A. En parejas. Haz cuatro dibujos en un papel que representen cosas que has hecho esta semana. Entrega el papel a tu compañero.

B. Ahora, mira el dibujo de tu compañero y hazle preguntas para adivinar qué ha hecho.

■ ¿Has tenido problemas con el coche?
■ No.
■ ¿Has arreglado algo en tu casa?
■ Sí.

5. ¿Has hecho alguna de estas cosas alguna vez? Escribe frases utilizando marcadores de frecuencia.

1. Regalar flores **He regalado flores muchas veces.**

2. Suspender un examen

3. Asistir a una feria

4. Cambiar de trabajo/escuela

5. Ver un partido de fútbol en directo

6. Hacer negocios en un país extranjero

7. Ir a un país de habla española

8. Pasar un fin de semana trabajando

9. Discutir con el jefe / el profesor

10. Perder un avión

11. Hacer una presentación en público

12. Ver una corrida de toros

13. Escribir un artículo para un periódico

14. Hacer un viaje en barco

nunca
alguna vez
una vez
dos veces
muchas veces

6. La primera cita con un cliente siempre es muy importante. ¿Cuáles son para ti los tres aspectos más relevantes? Escríbelo y, luego, coméntalo con tu compañero.

ir bien vestido/a   tener la reunión bien preparada
ser muy simpático/a   mirar directamente a los ojos
estar tranquilo/a   elegir un lugar agradable para el encuentro
ser puntual   llevar algún obsequio

1

2

3

 ● Para mí, las tres cosas más importantes son...

7. Lee estas frases y marca la continuación más lógica.

1. Todavía no he podido enviar el fax...	a) porque los de Ventas no me han dado todos los datos.
	b) porque ya hemos comprado la fotocopiadora.
2. No he visto el nuevo modelo...	a) porque todavía no lo he recibido.
	b) porque ya lo he pedido.
3. Ya he hablado con él; ...	a) ha salido de la reunión y hemos tomado un café juntos.
	b) porque no he podido verle.
4. Todavía no han llegado...	a) porque no han comido en un restaurante.
	b) porque el avión ha salido con retraso.
5. No hemos contratado a nadie...	a) porque ya hemos fotocopiado el informe.
	b) porque todavía no hemos terminado el proceso de selección.
6. Podemos empezar la reunión.	a) Ya han llegado los responsables de todos los departamentos.
	b) Todavía no he visto la propuesta para la campaña publicitaria.

8. En parejas. Trabajas en una empresa. Hoy tienes que hacer todas estas cosas. Ahora son las cuatro y media de la tarde. Señala seis cosas e imagina que ya las has hecho. Tu compañero puede hacerte nueve preguntas para descubrir cuáles son.

actualizar la base de datos

comprobar las facturas del mes pasado

hablar con el distribuidor de Sevilla

enviar un correo electrónico a la jefa de Contabilidad

terminar el informe del viaje a Atenas

ir a comprar el regalo de la jefa

comprar los billetes de avión por Internet

cancelar la cena con el señor Román

organizar una reunión con el responsable de Marketing

consultar los informes de Producción

poner al día los ficheros de clientes

buscar nuevos proveedores por Internet

* ● **¿Has actualizado la base de datos?**
● **No, todavía no la he actualizado.**

CD 72-76

9. Vas a escuchar cinco diálogos. Completa el cuadro.

	¿Qué han hecho? / ¿Qué les ha pasado?	¿Qué tal les ha ido?
1. Manuel	**ha tenido una reunión**	**bastante mal**
2. Juana		
3. Rosario		
4. Juan y Ana		
5. Mario		

10. Pregunta a tu compañero si últimamente ha realizado alguna de estas actividades. Si la respuesta es afirmativa, pídele su valoración.

	Sí	No	¿Qué tal?
ir a una fiesta			
hacer un examen			
cenar en un restaurante			
hablar en público			
hacer un viaje de negocios			
ir al teatro			
leer un libro			
organizar una fiesta			
hacer deporte			
tener una cita			
ir a la playa			

> muy bien
> bastante bien
> regular
> normal
> no muy bien
> bastante mal
> muy mal
> fatal

- ¿Has ido a alguna fiesta últimamente?
- Sí.
- ¿Y qué tal?
- Muy bien.

11. A. Lee estas frases en voz alta.

1. ¿Qué has hecho hoy?　　2. Ha sido un día agotador.　　3. ¿Ya has acabado?　　4. ¿Qué vas a hacer?

5. ¿Qué tal el viaje?　　6. No he ido nunca.　　7. Le he invitado a comer.

 B. Ahora, escucha las frases y fíjate en cómo se unen algunas palabras.

 C. Vuelve a escucharlas y repítelas.

12. A. Lee el anuncio y responde a estas preguntas en tu cuaderno.

1. ¿Cómo se llama la empresa que ofrece el servicio BC on-line?
2. ¿Qué tipo de empresa es?
3. ¿Qué es BC on-line?
4. ¿Crees que es un servicio interesante? ¿Por qué?
5. ¿Qué horario de atención al público tiene BC on-line?

BC on-line

902 333 444

cliente@bcon-line.com

Un servicio gratuito de Bancoma

BC on-line le garantiza el mismo tipo de atención y eficacia que cualquiera de nuestras sucursales bancarias.

Usted puede informarse de la amplia gama de productos que ofrecemos y contratarlos sin tener que desplazarse. Desde su casa, a través del ordenador y durante las 24 horas del día,
puede realizar cualquier tipo de actividad. Y si quiere aclarar alguna duda concreta, puede enviar un *e-mail* o llamar por teléfono a cualquier hora y le contestaremos inmediatamente.

BC on-line cuenta con los más avanzados sistemas de seguridad que le garantizan la máxima confidencialidad.

Con BC on-line usted puede:
• consultar el estado de sus cuentas
• realizar pagos y transferencias
• solicitar un préstamo personal y/o un préstamo hipotecario
• solicitar moneda extranjera
• ponerse en contacto con su asesor fiscal
• disponer de información actualizada sobre los últimos movimientos en la Bolsa
• invertir en Bolsa
• cambiar el código de su tarjeta de crédito
• participar en la gestión de sus inversiones

B. Vuelve a leer el texto y busca las preposiciones que acompañan a estos verbos.

1. informarse ....
2. contar ....
3. ponerse .... contacto ....
4. disponer ....
5. invertir ....
6. participar ....

C. Ahora, elige tres de los verbos anteriores y escribe una frase con cada uno.

13. Aquí tienes unas fichas que describen la situación de varias empresas que están en crisis y, a continuación, una lista de posibles soluciones. Elige dos para cada empresa. Luego, piensa otra posible solución para cada una. Escríbelo en tu cuaderno.

tele**x**fo

Nombre: TELEXFO

Sector: telefonía móvil

Descripción: Han recibido muchas quejas por los servicios de mantenimiento. En los medios de comunicación han aparecido algunos artículos tratando este tema. Les preocupa la mala imagen que está dando la empresa.

TRANs

Nombre: TRANS, S.L.

Sector: transportes

Descripción: La mayoría de los camiones tienen más de diez años y tienen que ser reparados constantemente. Además, debido a problemas meteorológicos, últimamente algunas expediciones han llegado tarde a sus destinos.

jean clément

Nombre: JEAN CLÉMENT

Sector: peluquerías

Descripción: En los últimos meses la empresa ha perdido un 20% de sus clientes. Las peluquerías de la competencia han abierto nuevos locales, muy atractivos y modernos, con precios más bajos y con más personal.

BRAT

Nombre: BRAT

Sector: moda

Descripción: Las ventas han bajado muchísimo en los últimos meses y han tenido que cerrar algunas tiendas. Los jóvenes no compran su ropa. Otras marcas ofrecen prendas más atractivas para ellos.

	POSIBLES SOLUCIONES	EMPRESA
1	Comprar nuevos camiones	
2	Contratar a diseñadores especializados en moda juvenil	
3	Contratar una empresa de gestión de comunicación de crisis	
4	Invertir en campañas de publicidad	
5	Contratar los servicios de una empresa de transporte por ferrocarril	
6	Crear un departamento de atención al cliente	
7	Ofrecer precios más competitivos	
8	Realizar un estudio de mercado entre la población más joven	

Yo creo que Telexfo tiene que...

14. ¿Qué crees que hay que hacer para...? Escríbelo.

1. Conducir bien	**Para conducir bien hay que...**
2. Tener muchos amigos	
3. Estar en forma	
4. Encontrar un buen trabajo	
5. Aprender un idioma extranjero	
6. Ganar mucho dinero	
7. Dejar de fumar	
8. Aprobar un examen	

CD 78 **15. A.** Vas a escuchar ocho frases incompletas. ¿Qué continuación te parece más lógica?

1
   a) y por eso podemos invertir más en publicidad.
   b) y sin embargo, podemos invertir más en publicidad.

2
   a) porque ha aumentado la producción.
   b) y sin embargo, ha aumentado la producción.

3
   a) primero, hay que reducir los gastos.
   b) debido a que hay que reducir los gastos.

4
   a) y en consecuencia, los problemas continúan.
   b) y sin embargo, los problemas continúan.

5
   a) debido a la gran demanda del mercado.
   b) debido al déficit de la empresa.

6
   a) en cambio, el número de vuelos internacionales ha aumentado.
   b) porque el número de vuelos internacionales también ha disminuido.

7
   a) y sin embargo, los sueldos de los directivos han aumentado un 20%.
   b) y en consecuencia, los sueldos de los directivos han aumentado un 20%.

8
   a) y sin embargo, tenemos que bajar los precios.
   b) y por eso tenemos que bajar los precios.

CD 79 **B.** Ahora, escucha y comprueba.

16. ¿Cómo te gusta trabajar? A partir del test de la página 97 del *Libro del alumno*, completa el siguiente texto.

Me gusta trabajar en ....

y prefiero hacerlo ....

En cuanto al ritmo de trabajo, me gusta más ....

.... Las reuniones, me gusta

tenerlas .... Y finalmente,

si tengo que dedicarle a un proyecto más tiempo de lo previsto,

prefiero ....

17. Lee estos pares de frases. ¿Cuándo crees que se utiliza **porque** y cuándo **debido a**? ¿Puedes completar la regla?

1	La empresa está en crisis **debido a** la mala gestión.
	La empresa está en crisis **porque** la gestión ha sido mala.

2	Han aumentado las ventas **debido a** un crecimiento de la demanda.
	Han aumentado las ventas **porque** ha crecido la demanda.

3	La compañía ha perdido pasajeros **debido a** los numerosos retrasos en los vuelos.
	La compañía ha perdido pasajeros **porque** los vuelos han tenido numerosos retrasos.

Porque y **debido a** sirven para expresar la razón o la causa de algo.

Utilizamos .... antes de un nombre (acompañado o no por un adjetivo).

En cambio, usamos .... antes de una frase completa (que tiene un verbo).

18. Termina estas frases de forma lógica.

1. Este año he trabajado muchísimo, pero...

2. Los precios de los billetes de avión han bajado mucho en los últimos años, en consecuencia...

3. En el sector de las telecomunicaciones, la competencia es cada vez mayor, por eso...

4. Nunca he estado en África, en cambio...

5. Las inversiones en investigación se han reducido debido a...

6. El ayuntamiento ha intentado controlar el gasto público, sin embargo...

19. A. Marca las frases con las que estás de acuerdo.

Hay que tener los hijos antes de los treinta y cinco años.

Lo más importante de un trabajo es el sueldo.

Es mejor trabajar en casa que en la oficina.

El problema más grave de mi país es el paro.

Es mucho más interesante el teatro que el cine.

Los gatos son más inteligentes que los perros.

La globalización genera mucho crecimiento económico.

Es más importante la formación que la experiencia.

La comida asiática es la mejor del mundo.

El jefe no puede ser amigo de sus trabajadores.

B. Ahora, comenta con tus compañeros las frases que has marcado.

* ● En mi opinión, hay que tener los hijos antes de los treinta y cinco años.
  ● Estoy de acuerdo contigo.
  ● Pues yo no estoy de acuerdo. Para mí...

> En mi opinión...
Yo creo que...
A mí me parece que...

11

Viajes de negocios

1. Todas estas cosas se hacen cuando se viaja en avión. Ordénalas.

| **1** | reservar el billete | | aterrizar | | pasar el control de pasaportes |

| | subir al avión | | facturar el equipaje | | recoger el equipaje |

| | esperar en la sala de embarque | | despegar | | bajar del avión |

2. Lee este anuncio y marca si las frases son verdaderas o falsas.

Viajes Sol

¡Plazas limitadas!
Anticípese y aproveche esta oportunidad

Santiago de Compostela

4 días (de jueves a domingo) **desde 195 €**
5 días (de domingo a jueves) **desde 225 €**

Oferta **2x1***

Nuestros precios incluyen:
• Billete de avión de ida y vuelta desde Madrid
• Traslado aeropuerto-hotel-aeropuerto
• Visita a la ciudad de Santiago
• Alojamiento y desayuno en el Hotel San Simón
• Seguro de viaje
(Tasas y gastos de gestión no incluidos)

*Si reserva su viaje exclusivamente
entre el 3 y el 6 de mayo

	Verdadero	Falso
1. La oferta incluye alojamiento y desayuno.		
2. Si se hace la reserva antes del 3 de mayo, el billete cuesta la mitad.		
3. Los vuelos salen de Barcelona.		
4. La oferta incluye un seguro de viaje.		
5. El viaje de cinco días es más caro que el de cuatro días.		
6. Solo se puede salir los jueves.		
7. El traslado del aeropuerto al hotel está incluido.		
8. Hay que pagar las tasas aparte.		

3. A. Completa con las palabras de la derecha esta conversación telefónica entre un trabajador de una agencia de viajes y una clienta.

● Viajes Marisol, buenos días. ....

● Buenos días. Quería .... un billete para Málaga.

● Muy bien. ¿Para qué .... ?

● La .... para el día 7.

● ¿Con qué .... ?

● Cualquiera me va bien.

● Pues, a ver... Con Click Air está todo .... , pero con

  Spanair sí hay .... Hay un ....

  a las 10 de la mañana.

● Perfecto.

● ¿Y la .... ? ¿Para cuándo?

● Para el día 9.

● A ver... Sí, hay plazas.

● ¿Cuándo sale el .... vuelo?

● A las 9 de la noche.

● Muy bien. Pues este. Ah, también necesito un hotel.

● Tenemos una .... con el Hotel Málaga Playa.

  Es un cuatro estrellas. La habitación individual cuesta 100 euros,

  .... incluido.

● Perfecto, pues hágame la reserva.

completo	desayuno
vuelta	compañía
oferta	reservar
¿Dígame?	vuelo
último	ida
día	plazas

CD 80 **B.** Ahora, escucha y comprueba.

4. Lee las siguientes frases e imagina quién las ha dicho, dónde y a quién. Escríbelo.

	¿QUIÉN?	¿DÓNDE?	¿A QUIÉN?
1. Pásame esos catálogos de ahí, por favor.	un compañero	en el trabajo	a otro compañero
2. ¿Puede traerme una servilleta, por favor?			
3. Prepárame el informe para mañana.			
4. Disculpe, ¿cuánto cuesta esta camisa?			
5. ¿Puede decirme qué compañías tienen vuelos a Lima?			
6. ¿Puede darme sus datos bancarios?			
7. Deme un billete de ida y vuelta, por favor.			
8. ¿Puedes preparar tú la cena, cariño?			

5. A. Estas formas verbales están en Imperativo. ¿Son regulares o irregulares? Escríbelas en el lugar que les corresponda.

| habla | venga | haz | responda | escribe | salga | ve | diga | pon |

REGULARES		
	TÚ	USTED
-AR	**habla**	
-ER		
-IR		

IRREGULARES	
TÚ	USTED
	venga

B. Ahora, completa los cuadros con las nueve formas que faltan.

6. Vas a escuchar a una serie de personas pidiendo algo. Escribe si usan **tú** o **usted**.

| 1 | 2 | 3 | 4 | 5 | 6 |

7. Imagina que vas a estar unos días de viaje. Tienes varios asuntos pendientes y no tienes tiempo de resolverlos. Antes de salir de la oficina, le dejas una nota a Pedro, tu ayudante. El correo electrónico de la página 111 del *Libro del alumno* te puede servir como modelo.

Asuntos pendientes:

– reservar mesa para dos (próximo día 7) en Los Caracoles

– terminar el presupuesto para la Sra. Tobar

– pedir el balance de este año a Sandra (Contabilidad)

8. Varias personas te piden algunas cosas pero tú no puedes hacerlas. Piensa en posibles razones y escríbelas.

1. ¿Puedes mirar en mi ordenador si he recibido algún correo electrónico?

Lo siento pero no puedo, es que...

2. ¿Puedes ir al aeropuerto a recoger a la señora Rico?

3. Prepárame la documentación para la reunión de mañana, por favor.

4. ¿Puedes llamar al señor Ramírez para cancelar la entrevista?

5. ¿Puedes quedarte un par de horas más para acabar el informe?

6. Envíame el CD con los documentos que ha preparado el diseñador.

9. ¿Qué han dicho exactamente estas personas? Escríbelo.

1. La señora Boadella ha llamado y ha dicho que está estudiando la posibilidad de invertir en Margot S.A.
   – La señora Boadella: " _____ **".**

2. El señor Martínez dice que no encuentra las llaves del almacén, que las ha buscado por toda la oficina.
   – El señor Martínez: " _____ **".**

3. Agustín ha preguntado si tiene que ir al próximo congreso de San Sebastián.
   – Agustín: " _____ **".**

4. Lourdes dice que ha llamado cuatro veces al distribuidor, pero que no lo encuentra.
   – Lourdes: " _____ **".**

5. La señora Torrejón quiere saber cuándo recibirá su pedido.
   – La señora Torrejón: " _____ **".**

6. Nuria nos ha preguntado si hemos recibido el nuevo diseño para el folleto de la próxima temporada.
   – Nuria: " _____ **".**

7. Eugenia quiere saber a qué hora van a llegar sus clientes. Dice que quiere ir al aeropuerto a recibirlos.
   – Eugenia: " _____ **".**

8. Bibiana quiere saber quién va a ir a la feria de Bilbao. Dice que tiene que hacer la reserva del hotel lo antes posible.
   – Bibiana: " _____ **".**

10. En el trabajo varias personas te han dicho estas cosas. Después se lo cuentas a un amigo. Escríbelo.

1. Luisa Soriano

"¿Pueden hacerme un presupuesto para la próxima semana?"

2. Fernanda

"Hoy no puedo ir al gimnasio contigo; tengo mucho trabajo."

3. El Sr. Galindo

"He leído el informe y estoy muy contento con el resultado."

4. Ana, de Contabilidad

"¿Dónde están las facturas de la feria de París?"

5. Un comercial de SISA

"¿Qué día de esta semana puedo reunirme con la jefa de Producción?"

6. La señora Blanco

"La factura que me habéis enviado no es correcta."

7. Raúl Quintana

"¿Han llegado los paquetes?"

8. Una estudiante

"Estoy buscando trabajo."

1. **Luisa Soriano me ha preguntado...**

2.

3.

4.

5.

6.

7.

8.

11. Vas a viajar a España con tus compañeros. Aquí tienes una ficha con las características y necesidades del grupo. ¿Cuál de estos hoteles elegís? ¿Por qué? Coméntalo con tus compañeros.

N.º de personas: 64
Fecha: del 2 al 8 de agosto
Características del grupo:
• Edades comprendidas entre los dieciséis y los veintidós años
• Una persona va en silla de ruedas
• Viajáis en autocar, excepto 4 personas que viajan en coche
Presupuesto por persona/día: 60 euros aproximadamente
N.º de habitaciones: 32 habitaciones dobles
Observaciones: Buscáis un hotel con piscina situado preferiblemente muy cerca del mar. Queréis habitaciones con televisión, aire acondicionado y wi-fi.

Hotel San Gil en Sevilla

Hermosa mansión de 1901 situada en el casco antiguo de Sevilla. El hotel cuenta con una piscina en la azotea y con un precioso jardín de estilo andaluz con fuentes, palmeras, un viejo ciprés y numerosos mosaicos de principios del siglo XX. El precio medio de una habitación doble es de 170 €.

61 🚿 🌡 TV ♿ P 🌳 ◎ ▭

Gran Hotel del Sella en Ribadesella (Asturias)

Antiguo palacio de verano del marqués de Argüelles situado frente a la playa de Santa Marina en Ribadesella, una de las poblaciones más bonitas de la costa cantábrica. El hotel dispone de unas magníficas terrazas con vistas al mar Cantábrico. El precio medio de una habitación doble es de 100 €.

82 🚿 TV ♿ P 🌳 〰 ◎ ▭

Hotel San Sebastián Playa en Sitges (Barcelona)

Situado en primera línea de mar y a solo cien metros del casco antiguo de Sitges, el Hotel San Sebastián Playa destaca por su excelente cocina mediterránea y por su espectacular piscina. Ideal para reuniones de empresa. Las habitaciones dobles cuestan unos 110 €.

51 🚿 🌡 TV ♿ P 🌳 〰 ◎ ▭

Hotel Los Habaneros en Cartagena (Murcia)

El Hotel Los Habaneros está en pleno casco antiguo de la preciosa ciudad de Cartagena, muy cerca del paseo marítimo. Totalmente renovado en el 2006, el hotel ofrece comodidad y un ambiente familiar a precios razonables. La habitación doble cuesta unos 50 €.

90 🚿 🌡 TV P 🌳 ▭

Mesón del Cid en Burgos

Este elegante hotel está situado en una pequeña plaza frente a la majestuosa catedral de Burgos, joya del arte gótico español. Decorado con un estilo tradicional castellano, el hotel cuenta con varios salones para reuniones, convenciones y banquetes. El precio medio de una habitación doble es de 120 €.

55 🚿 TV P ◎ ▭

● El Hotel San Gil está muy bien. Tiene piscina, jardín, las habitaciones tienen aire acondicionado...
● Sí, pero Sevilla no está muy cerca del mar, y además es bastante caro.

00	Número de habitaciones dobles	P	Aparcamiento
🚿	Habitaciones con baño y/o ducha	🌳	Jardín
🌡	Aire acondicionado	〰	Piscina
TV	Televisión	◎	Wi-fi
♿	Accesible para clientes con movilidad limitada	▭	Tarjeta de crédito

12. Fíjate en cuándo se usa **como** y cuándo **porque** y, luego, completa las frases. Ten en cuenta que en cada frase hay un espacio que no tienes que completar. Añade una coma cuando sea necesario.

	CAUSA	CONSECUENCIA	CONSECUENCIA		CAUSA
Como	tengo que estudiar,	no podré ir al cine.	No podré ir al cine	**porque**	tengo que estudiar.

1. .... estoy enfermo .... no podré ir al trabajo.

2. .... no te he llamado .... no tengo tu número de teléfono.

3. .... no ha llegado el director .... no podemos empezar la reunión.

4. .... tenemos que aumentar la producción .... en los últimos meses ha crecido la demanda.

5. .... no ha estudiado .... ha suspendido el examen.

6. .... no podemos recibir visitas .... estamos en obras.

13. A. Completa estas palabras con las letras que faltan: **ll, y, ñ** o **ch**.

1. a .... o
2. si .... a
3. mu .... o
4. tu .... o
5. ba .... o
6. .... ino

7. le .... endo
8. campa .... a
9. ma .... ana
10. ni .... o
11. ca .... e
12. pla .... a

13. bi .... ete
14. despa .... o
15. compa .... ero
16. ape .... ido
17. no .... e
18. peque .... o

CD 82 **B.** Ahora, escucha y comprueba. Todas son consonantes palatales. Se pronuncian poniendo la lengua en el paladar.

14. A. ¿A qué verbos corresponden estos sustantivos? Escríbelos.

1. conservación	4. creación	7. realización
2. promoción	5. declaración	8. preparación
3. ocupación	6. situación	9. formación

B. ¿Conoces otros sustantivos que acaben en **-ción**? Escríbelos. ¿Son masculinos o femeninos?

15. Completa las frases con la forma conjugada de estos verbos.

1. Si _____ unos días libres en junio, me iré de vacaciones a la playa.

2. No aprobarás el examen si no _____ un poco más.

3. Si _____ un buen descuento, venderemos más.

4. Si el ordenador no _____ , no podré preparar el informe.

5. Si _____ a la feria de Chile, no iremos a la de Milán.

6. Haremos una campaña de promoción si _____ de presupuesto.

7. No enviaré su pedido si no _____ una confirmación.

8. Si _____ un producto más atractivo, venderemos más.

estudiar

lanzar

tener

recibir

disponer

ofrecer

funcionar

ir

16. A. A estas imágenes publicitarias les falta el texto. ¿Qué eslogan le corresponde a cada una?

1. **Visita nuestra isla y disfruta de la vida**
2. **Regale el objeto con el que escribe el alma**

3. **Aprenda a sentarse bien; aprenda a sentirse bien**
4. **Compra un Scenic y luego decide qué coche quieres**

   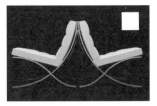

B. Subraya los verbos de las frases anteriores y colócalos en el cuadro. Después, completa los cuadros con las formas que faltan.

	Imperativo	
	TÚ	USTED
visitar	**visita**	
disfrutar		
regalar		

	Imperativo	
	TÚ	USTED
aprender		
comprar		
decidir		

C. Ahora, escribe en tu cuaderno un eslogan para cada una de estas cuatro imágenes. Puedes utilizar los verbos anteriores.

17. A estas frases les falta una parte. Escríbela.

1. Si no puedo llegar a tiempo a la reunión, _____

2. Hablaré con el director de mi empresa si _____

3. Si nos visita un cliente importante, _____

4. Compraré un libro en la librería del aeropuerto si _____

5. Si no encuentro las llaves de la oficina, _____

6. Compraremos un ordenador nuevo si _____

7. Si tengo dinero este verano, _____

8. No iré mañana a trabajar si _____

18. A. Vamos a predecir el futuro. Escribe cuatro frases sobre cómo crees que será tu vida dentro de cinco años. ¿Y la de tu compañero? Piensa en posibles cambios en el trabajo, en la familia, en el aspecto físico, en el carácter, etc.

Yo	Mi compañero

B. Ahora, comenta con tu compañero lo que has escrito sobre él. ¿Está de acuerdo?

19. ¿Con qué verbos relacionas estos sustantivos? Puede haber varias posibilidades.

una reunión	una entrevista	una visita	un pedido	la documentación
una noticia	el teléfono	un paquete	un contrato	un correo electrónico

aplazar	**una reunión, una entrevista...**
preparar	
mandar	
comunicar	
concertar	
atender	
contestar	
firmar	

20. A. Lee estas frases y observa cuándo **le** y **les** se transforman en **se**.

1.
● ¿Le has dado al jefe el presupuesto?
● No, pero se lo daré esta tarde.
● ¿Puedes dárselo antes?

2.
● ¿Le has enviado la documentación a Lucía?
● No, pero se la enviaré mañana.

3.
● Tengo que enviarles los billetes a los señores Román.
● ¿No se los has enviado todavía?
● No, todavía no.

4.
● ¿Les entrego las cartas a los mensajeros?
● No, ya se las he entregado yo.

B. Ahora, intenta completar la regla.

Los pronombres de Objeto Indirecto .... y .... se transforman en .... cuando van acompañados

de un pronombre de Objeto Directo: .... , ... , ... , ...

21. Lee este correo electrónico y este fax que ha enviado Carmela Manrique a dos agencias de viaje. El correo electrónico es más informal y el fax, más formal. Observa las diferencias entre los dos textos, márcalas y coméntalas con tu compañero.

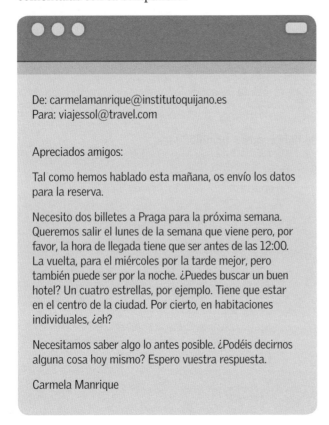

De: carmelamanrique@institutoquijano.es
Para: viajessol@travel.com

Apreciados amigos:

Tal como hemos hablado esta mañana, os envío los datos para la reserva.

Necesito dos billetes a Praga para la próxima semana. Queremos salir el lunes de la semana que viene pero, por favor, la hora de llegada tiene que ser antes de las 12:00. La vuelta, para el miércoles por la tarde mejor, pero también puede ser por la noche. ¿Puedes buscar un buen hotel? Un cuatro estrellas, por ejemplo. Tiene que estar en el centro de la ciudad. Por cierto, en habitaciones individuales, ¿eh?

Necesitamos saber algo lo antes posible. ¿Podéis decirnos alguna cosa hoy mismo? Espero vuestra respuesta.

Carmela Manrique

FAX

Instituto Quijano

A: Viajes Trotamundos
De: Carmela Manrique
Fecha: 10 de julio

Apreciados señores:

Tal como hemos acordado en la conversación mantenida esta mañana, les envío los datos para la reserva.

Necesitamos dos billetes a Praga para la próxima semana. Queremos salir el lunes de la semana que viene pero, si es posible, la hora de llegada tiene que ser antes de las 12:00. La vuelta, para el miércoles por la tarde preferiblemente, pero también puede ser por la noche. ¿Pueden buscar un buen hotel? Un hotel de cuatro estrellas, a ser posible. Tiene que estar en el centro de la ciudad. Asimismo, las habitaciones tienen que ser individuales.

Esperamos recibir noticias suyas lo antes posible. Les estaremos muy agradecidos si puede ser hoy mismo.

Atentamente,

Carmela Manrique

22. ¿Puedes modificar las frases que están en negrita para que suenen mejor? Utiliza **lo**, **la**, **los**, **las** y **se**.

1.
● ¿Le has comentado la nueva oferta a Marta?
● No, pero **le comentaré la nueva oferta a Marta mañana.**

2.
● ¿Le has enviado el informe al director financiero?
● No, **pero le enviaré el informe al director financiero esta misma tarde.**

● **¿Puedes enviarle el informe al director financiero ahora mismo?** Es que es muy urgente.

3.
● ¿Les explico las normas internas a los nuevos empleados?
● **No, ya les he explicado yo las normas internas a los nuevos empleados.**

4.
● Tengo que enseñarles los nuevos productos a todos los jefes de sección.
● **¿No les has enseñado los nuevos productos a todos los jefes de sección todavía?**

● No, todavía no.

 23. A. Laura es una secretaria muy eficiente. En la oficina todo el mundo le pide cosas. Escucha y escribe cómo responde a las dos peticiones.

| 1. llevarle unas cartas a Lola, de Contabilidad | |
| 2. darle un teléfono a Gerardo | |

B. ¿Cómo crees que responde Laura a estas otras peticiones? Escríbelo en tu cuaderno.

1. Laura, ¿puedes enviar estos paquetes a la señora Manrique, del Instituto Quijano?

2. Perdona, ¿puedes preparar las fotocopias para el conferenciante?

3. Entrega este sobre al mensajero lo antes posible, por favor.

4. Por favor, envía un catálogo a todos nuestros clientes de la provincia de Madrid.

5. ¿Puedes comprar unas flores para Emilia? Hoy es su cumpleaños.

6. Laura, ¿puedes escribir una tarjeta de agradecimiento a los señores Gálvez?

7. Por favor, ¿puedes buscar en Internet un billete para mañana a París?

8. Laura, ¿puedes venir un momento a mi despacho, por favor?

> ahora mismo...
hoy mismo...
esta tarde mismo...
el lunes mismo...

12

Formación y experiencia

1. A. Relaciona estas ocho imágenes con las frases.

LA REVOLUCIÓN INFORMÁTICA

La vida cotidiana ha cambiado enormemente desde la aparición de la informática. El ordenador personal es el gran responsable de esta revolución. La historia de las últimas décadas se puede resumir en unas pocas imágenes.

   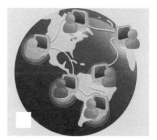

1. En 1975, Bill Gates **fundó**, junto a Paul Allen, Microsoft, una empresa que **entró** en plena actividad en Alburquerque.

2. Un año después, en 1976, Steve Jobs y Stephen Wozniac **diseñaron** el ordenador Apple I en un garaje de San Francisco.

3. En 1984 **salió** a la venta un pequeño disco de plástico capaz de almacenar hasta 700Mb: el CD-ROM.

4. En 1989 Internet **se convirtió** en la mayor autopista de la información.

5. En 1992 **aparecieron** los primeros juegos de ordenador en tres dimensiones (3D).

6. En 1998 **se creó** la empresa Google Inc., cuyo principal producto es el buscador del mismo nombre.

7. En 2001 **nació** Wikipedia y en febrero del 2006 **alcanzó** la cifra de 1 000 000 de usuarios registrados.

8. En octubre del 2006 Google **compró** el sitio de descargas de vídeos YouTube por más de 1380 millones de euros.

B. Ahora, clasifica los verbos que están en negrita.

-AR	-ER	-IR
fundó		

2. A. Los verbos **convertirse** e **invertir** son irregulares. Tienen la misma irregularidad, en Pretérito Indefinido, que el verbo **pedir**. Conjúgalos.

	PEDIR	CONVERTIRSE	INVERTIR
yo	pedí		
tú	pediste		
él, ella, usted	pidió	se convirtió	
nosotros/as	pedimos		
vosotros/as	pedisteis		
ellos, ellas, ustedes	pidieron		

B. Ahora, completa estos dos cuadros con las formas que faltan.

	ESTAR	HACER	PODER	VENIR	PONER
yo			pude		
tú					pusiste
él, ella, usted	estuvo				
nosotros/as					
vosotros/as		hicisteis			
ellos, ellas, ustedes				vinieron	

	IR/SER	DAR	PRODUCIR	TRAER	SABER
yo			produje		
tú					supiste
él, ella, usted	fue				
nosotros/as				trajimos	
vosotros/as		disteis			
ellos, ellas, ustedes					

C. De los verbos del apartado anterior, hay dos que pierden una **i** en la terminación de la tercera persona del plural. ¿Cuáles son?

3. A. ¿Qué hicieron estas personas? ¿Qué les pasó? Relaciona los nombres con las frases.

1	Miguel de Cervantes		a	Protagonizó, entre otras, las películas *Casablanca* y *La reina de África*.
2	Jesse Owens		b	Estableció la primera red pública de alumbrado eléctrico.
3	Humphrey Bogart		c	Compuso "La quinta sinfonía".
4	Alexander G. Bell		d	Gobernó la India desde 1966 hasta 1977 y desde 1980 hasta 1984.
5	Alexander Fleming		e	Se casó con Enrique VIII de Inglaterra el 25 de enero de 1533.
6	Thomas Alva Edison		f	En 1903 fundó una de las fábricas de automóviles más importantes del mundo.
7	Indira Gandhi		g	Escribió *Don Quijote de la Mancha*.
8	John F. Kennedy		h	Ganó una medalla de oro en los Juegos Olímpicos de Berlín de 1936.
9	Valentina Tereshkova		i	Descubrió la penicilina.
10	Pedro Almodóvar		j	Murió en un atentado en Dallas el 22 de noviembre de 1963.
11	Henry Ford		k	Fue la primera mujer que viajó al espacio.
12	Ana Bolena		l	Pintó un mural con la imagen de Lenin en el Rockefeller Center de Nueva York.
13	Ludwig van Beethoven		m	Recibió el Oscar a la mejor película extranjera en el 2000.
14	Diego Rivera		n	Inventó el teléfono.

1		3		5		7		9		11		13	
2		4		6		8		10		12		14	

B. ¿Puedes escribir algo que hicieron estas otras personas?

1. Leonardo da Vinci	
2. Cristóbal Colón	
3. María Callas	
4. Nelson Mandela	
5. William Shakespeare	
6. Miguel Induráin	

4. A. Ordena estas referencias temporales de la más alejada al presente a la más cercana.

en julio de 1996	anteayer	hace tres semanas	hace dos años	el año pasado

el martes	ayer	el fin de semana pasado	en el siglo XVIII	en 1992

hoy

B. Ahora, escribe tres frases utilizando alguna de las referencias temporales anteriores.

5. A. Completa las palabras con la sílaba que falta.

chí	téc	má	prác	nó	nú

úl	lé	clá	pá	tí	tá

1. te .... fono
2. .... ticas
3. a .... nimo
4. infor .... tica
5. .... timo
6. ca .... logo
7. mu .... simo
8. .... mido
9. .... mero
10. .... nico
11. sim .... tico
12. .... sico

CD 85 **B.** Ahora, escucha y comprueba. Todas estas palabras son esdrújulas; se acentúan en la antepenúltima sílaba y siempre llevan acento gráfico. ¿Conoces otras? Escríbelas.

6. Esta oferta de trabajo está incompleta. Escribe las frases de la derecha en el apartado que les corresponda: se requiere o se ofrece.

Iberser

Para incorporación en empresa líder en el sector, se necesita:

RESPONSABLE DE CONTABILIDAD

IS

Se requiere:

Se ofrece:

Interesados/as enviar CV con fotografía reciente y carta manuscrita al apartado de Correos 20003 de San Sebastián

- Experiencia de 2 ó 3 años como contable

- Incorporación inmediata en importante asesoría fiscal

- Retribución acorde con el cargo

- Conocimientos de inglés (nivel B1)

- Licenciado/a en Económicas o diplomado/a en Empresariales

- Edad entre 28 y 35 años

- Contrato laboral indefinido

- Imprescindible conocimientos sobre impuestos

7. Javier Escribano ha escrito esta carta en respuesta al anuncio anterior. Complétala con las palabras que faltan. Puedes fijarte en las cartas que aparecen en la página 120 del *Libro del alumno*.

el pasado 7 de febrero   me trasladé   me licencié   al año siguiente   oferta de trabajo   donde
durante seis meses   les saluda atentamente   al cabo de dos años   desde entonces   para perfeccionar

Javier Escribano Cortés
Calle de San Justo, n.º 9
41001 Sevilla   Sevilla, 14 de febrero del 2008

Estimados señores:

Me dirijo a ustedes con motivo de la .... aparecida en *El País* .... Como podrán comprobar por los documentos adjuntos, ... en Económicas por la Universidad de Barcelona en 1995. Ese mismo año fui a Estados Unidos .... mi inglés en la Universidad de Boston. .... , en 1996, hice unas prácticas .... en la gestoría Álvarez de Barcelona. .... , en 1998, ... a Valencia para trabajar en el Departamento de Contabilidad de la empresa Arana S.A. Estuve en Valencia hasta el 2002, fecha en la que me incorporé como contable en la empresa Abogados Pereira de Sevilla, ... trabajo ....

En espera de sus noticias , ... ,

Javier Escribano

8. A. Escribe los adjetivos que corresponden a los sustantivos.

el dinamismo	**dinámico/a**	la responsabilidad	
la creatividad		la paciencia	
la organización		la simpatía	
la flexibilidad		la profesionalidad	
la amabilidad		la timidez	

B. Imagina que tienes que compartir tu despacho con alguien. ¿Qué tres cualidades valoras más? Escríbelo.

9. ¿**Ser** o **tener**? Escribe estas cualidades en la columna correspondiente.

creativo/a, iniciativa, paciente, comunicativo/a, amable, facilidad para las relaciones humanas, dotes de mando responsable, educado/a, experiencia, capacidad de decisión, organizado/a, buena presencia

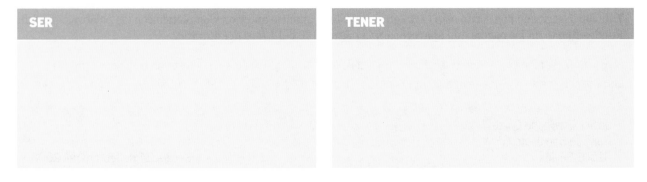

SER	TENER

10. Escribe tres cualidades y tres defectos que crees que tienes. Luego, entrega las frases a tu profesor.

CUALIDADES	DEFECTOS

B. Ahora, lee las frases que te ha entregado el profesor y, con la ayuda de tu compañero, intenta averiguar quién es.

11. A. Fíjate en estas personas. ¿Quién crees que es la persona más...? Escríbelo.

trabajador/ra   inteligente   guapo/a   deportista   simpático/a   rico/a   serio/a   creativo/a

> el
> la   **de** + sustantivo
> **los**   **que** + verbo
> **las**

1	**La más trabajadora es la que...**
2	
3	
4	
5	
6	
7	
8	

B. Ahora, coméntalo con tu compañero.

> ● Yo creo que la más trabajadora es la que está leyendo.
> ● ¿La de las gafas?
> ● Sí.
> ● Pues yo creo que el más trabajador es el de la cámara.

12. A. Completa las frases con **hace, desde, hasta, de ... a** o **del ... al**.

1. Trabajé en la editorial Gaviota .... el 2004 .... el 2006.

2. .... dos años fui a Miami de vacaciones.

3. Fue directora de la empresa .... 97 .... 99.

4. La empresa donde trabajo obtuvo beneficios .... 1999 .... el 2005.

5. Trabajo como arquitecto .... el 2003.

6. La reunión de esta tarde es .... cuatro .... seis.

7. Vendí todas mis acciones .... tres semanas.

8. Te esperaré en el bar solo .... las 11; sé puntual.

9. Estudio español .... el año pasado.

10. Mi jefa solo trabaja .... lunes .... jueves.

B. Ahora, habla de ti. Termina las frases. Utiliza algunas de las estructuras del apartado anterior.

1	Por las mañanas trabajo/estudio...
2	Vivo en esta ciudad...
3	Empecé a estudiar español...
4	Hoy trabajaré/estudiaré...

13. Busca a compañeros de clase que ayer hicieron alguna de estas cosas.

	¿Quién?
hizo deporte	
se acostó tarde	
fue al cine	
estuvo en casa de algún amigo	
estudió español	
visitó una exposición	
compró algo por Internet	
leyó el periódico	
vio la televisión	
cenó fuera de casa	

✱ ● ¿Hiciste deporte ayer?
　 ● Sí, jugué al tenis. ¿Y tú? ¿Hiciste deporte?
　 ● No, yo no.

14. A. Completa este texto sobre la historia de la empresa Chupa Chups conjugando en Pretérito Indefinido los verbos de la lista.

Todo empezó en 1957, cuando Enric Bernat, fundador y presidente de Chupa Chups S.A.,
tuvo la idea del caramelo con palo para que los niños no se ensuciaran las manos.
Al año siguiente, Chupa Chups .... en la fábrica de Asturias,
en el norte de España, con siete sabores diferentes.

En 1967 se abrió otra fábrica cerca de Barcelona y la primera filial fuera de España,
en Perpiñán (Francia). Dos años después, la empresa .... hablar
con Salvador Dalí, quien .... el famoso logotipo de Chupa Chups.

En 1979 el número de chupa-chups vendidos .... la cifra
de 10 000 millones y nueve años más tarde la cifra fue doblada: 20 000 millones.
Tras abrir fábricas en Japón, Estados Unidos, Alemania y otros países,
Chupa Chups .... su producción en Rusia, en el año 1991.
.... esta fábrica la que .... los primeros
chupa-chups consumidos en el espacio, enviados a la estación MIR a petición de
los cosmonautas.

En 1993, con 30 000 millones de chupa-chups vendidos en todo el mundo, Enric Bernat
.... realidad su sueño: producir chupa-chups en China.
Al cabo de cuatro años, la empresa .... el Premio a la Excelencia
Empresarial, reconociéndose así toda una labor dedicada a endulzarnos la vida.

tener
suministrar
alcanzar
hacer
nacer
empezar
ser
ganar
decidir
crear

CD 86 **B.** Ahora, escucha y comprueba.

C. Vuelve a leer el texto y escribe el año exacto en que ocurrieron estos hechos.

	Año
1. Apertura de la primera fábrica	
2. Conversaciones con Salvador Dalí para el diseño del logotipo	
3. Las ventas de chupa-chups alcanzan los 20 000 millones	
4. Premio a la Excelencia Empresarial	

15. Transforma las frases como en el ejemplo.

1. Empecé a trabajar en Perú en el 2001. En el 2002 me trasladaron a Chile.

   Empecé a trabajar en Perú en el 2001 y al cabo de un año...

2. Nos casamos en el 97. En el 98 tuvimos nuestro primer hijo.

3. Compré el coche el lunes. Tuve un accidente el jueves.

4. Salió del trabajo a las 7. Llegó a su casa a las 9.

5. Empecé a buscar trabajo en mayo. Encontré trabajo en mayo.

6. Hice la entrevista en abril. Me dieron el puesto de trabajo en junio.

7. Inauguraron la primera oficina en 1999. En el 2006 abrieron la primera sucursal en China.

8. Compré el piso en el 2001. Lo vendí en el 2004.

> **el mismo** año
> **al** año **siguiente**
> dos años **después**
> dos años **más tarde**
> **después de** dos años
> **al cabo de** dos años

16. A. Aquí tienes una serie de acontecimientos importantes en la historia reciente de España. ¿En qué año crees que sucedieron: en 1977, en 1978, en 1981, en 1982, en 1985, en 1992, en 1996, en el 2004 o en el 2006? Márcalo y, luego, coméntalo con tu compañero.

	Año
1. Se celebraron las primeras elecciones democráticas después de casi 40 años de dictadura.	
2. Se celebraron los Juegos Olímpicos de Barcelona y la Exposición Universal de Sevilla.	
3. Se aprobó por referéndum la Constitución.	
4. España firmó el tratado de adhesión a la Comunidad Económica Europea, hoy Unión Europea.	
5. Hubo un intento de golpe de Estado.	
6. La selección española de baloncesto se proclamó campeona del mundo en Japón.	
7. Después de casi 14 años en la oposición, el Partido Popular ganó las elecciones generales.	
8. España sufrió el peor atentado terrorista de su historia en la red de trenes de Madrid.	
9. Se celebró el Mundial de Fútbol.	

✳ ● Creo que España entró en la Unión Europea en 1996.
● No. Yo creo que fue antes, en 1985.

 B. Ahora, escucha y comprueba.

17. A. Escribe en pocas líneas tu biografía. Incluye una mentira. Léela para toda la clase. Tus compañeros tendrán que descubrir cuál es la información falsa.

> **Nací en Perú en 1975.**
> **Al cabo de cinco años me trasladé con mi familia a Holanda.**
> **Empecé la carrera de Ciencias Políticas en el 2001.**
> **Me casé dos años más tarde.**

● No naciste en Perú.
● Lo siento. Sí nací en Perú.
● No te casaste en el 2003.
● Exacto, no estoy casado.

B. Ahora, busca información sobre algún famoso español o de algún país de Latinoamérica y escribe su biografía.

18. Aquí tienes un modelo de currículum. Complétalo con tus datos.

CV

DATOS PERSONALES

Nombre y apellidos: ....

Lugar y fecha de nacimiento: ....

Dirección: ....

Teléfono fijo: .... Teléfono móvil: ....

Correo electrónico: ....

FORMACIÓN ACADÉMICA

....

....

....

....

....

IDIOMAS

....

....

....

EXPERIENCIA PROFESIONAL

....

....

....

....

....

19. A. Marca en estas ofertas de empleo todos los requisitos que crees que cumples. Luego, decide qué oferta se ajusta más a tu perfil.

Se necesita para restaurante en Madrid

AYUDANTE DE JEFE DE COCINA

Cocina creativa y de autor
Posibilidad de hacerse un nombre en Madrid
Buenas condiciones económicas
Edad: entre 20 y 40 años

Interesados/as enviar CV a alameda@spainmail.com

Compañía de telecomunicaciones precisa

COMERCIALES

Se requiere:
– Persona de 24 a 50 años
– Preferiblemente con experiencia comercial
– Buena presencia y facilidad para las relaciones humanas
– Con conocimientos de informática

Se ofrece:
– Alta en la Seguridad Social
– Formación continua
– Sueldo fijo + comisiones

Interesados/as enviar CV + foto al apartado de Correos 08089 de Barcelona

---

Empresa japonesa fabricante de productos electrónicos necesita para su sede en España

Programador/ra

REQUISITOS:
inglés hablado y escrito (nivel alto)
disponibilidad para viajar
edad entre 25 y 30 años
experiencia mínima de 3 años en puesto similar
formación universitaria

SE OFRECE:
incorporación inmediata
formación a cargo de la empresa

Interesados/as enviar CV detallado con foto reciente a rico@rrhh.es

---

Empresa líder en la organización de conciertos, festivales y eventos de gran convocatoria precisa

DIRECTOR/RA DE MARKETING Y EXPANSIÓN

SE REQUIERE:
Persona activa, creativa y muy organizada
Buen nivel de inglés y alemán (mínimo B1)
Amplios conocimientos de e-Marketing

SE OFRECE:
Magnífico ambiente de trabajo
Buena remuneración
Incorporación inmediata
Contrato indefinido

Interesados/as presentarse el lunes 17 de mayo de 11 a 13:00 h en c/ Fabiola, 98 (Sevilla)

Coctelería precisa

CAMARERO/A
CON EXPERIENCIA

PERFIL:
buena presencia
trato agradable

Se valorará el conocimiento de lenguas extranjeras.

Interesados/as presentarse el martes a las 13:00 h en la **Coctelería Smart** (Puerto Olímpico)

Precisamos

VENDEDORES

para las siguientes provincias:
Navarra - Vizcaya - La Rioja - León - Cantabria - Toledo - Madrid - Burgos - Guadalajara - Ciudad Real - Asturias - Cuenca - Albacete

SI USTED...
• es dinámico/a, trabajador/ra
• tiene poder de convicción
• tiene vehículo propio
• tiene experiencia en ventas en el campo industrial

LE OFRECEMOS:
• formación especializada por parte de la empresa
• apoyo constante en zona
• oportunidad de promoción
• seguro de enfermedad y accidentes

SI CREE QUE USTED TIENE ESTE PERFIL, LLAME MAÑANA LUNES DE 9:00 A 13:30 O DE 16:00 A 19:00 H AL TELÉFONO GRATUITO 090012210.

Se precisan **GUÍAS TURÍSTICOS** para los meses de verano

SE REQUIERE:
• buena presencia
• conocimiento de lenguas
• simpatía y sentido del humor
• flexibilidad de horarios

SE OFRECE:
• contrato temporal (3 meses)
• alojamiento

Interesados/as llamar al 90255555

 B. Imagina que estás buscando trabajo. Diseña un anuncio con la oferta de trabajo ideal para ti.

20. Aquí tienes dos imágenes de Edurne, una actual y otra de hace quince años. Compáralas e imagina qué cosas han cambiado en su vida. Escribe por lo menos diez frases.

Hace 15 años

Ahora

Antes hablaba español y estudiaba inglés, ahora habla español e inglés y estudia alemán.

21. Trabajar en una oficina en el siglo XXI tiene muchas comodidades. Antes las oficinas eran un poco diferentes. Compara la situación actual con la foto.

Antes necesitaban tinta, ahora no.

Antes las sillas no eran ergonómicas, ahora normalmente sí.

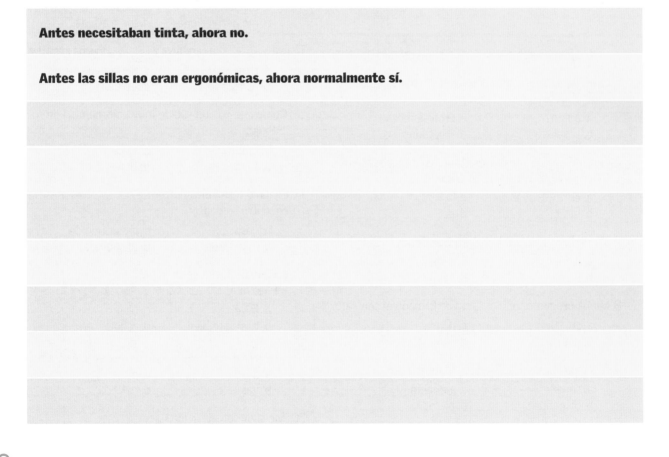

22. Pregunta a tu compañero cómo era su vida hace diez o quince años: ¿dónde vivía?, ¿qué le gustaba?, etc. Luego, escribe un texto explicándolo.

Cuando tenía...

1. Elige la opción más adecuada.

1. La facturación ha descendido _____ la crisis del sector.
   - a. en consecuencia
   - b. en cambio
   - c. porque
   - d. debido a

2. _____ he acabado el informe porque me faltan algunos datos.
   - a. Todavía
   - b. Todavía no
   - c. Ya
   - d. Ya no

3. Para tener éxito en una empresa _____ contar con buenos profesionales.
   - a. hay que
   - b. tienes
   - c. es mejor que
   - d. primero

4. ● Has cambiado de trabajo _____ ?
   ● Sí, _____ .
   - a. nunca/ya
   - b. alguna vez/ya
   - c. nunca/alguna vez
   - d. alguna vez/muchas veces

5. Latin Air está en crisis porque no ofrece _____ competitivos.
   - a. gastos
   - b. precios
   - c. profesionales
   - d. mercados

6. Para mí, _____ más importante en un trabajo es tener posibilidades de promoción.
   - a. el
   - b. lo
   - c. la
   - d. de

7. Si puedes, _____ a la señora Cortés hoy mismo.
   - a. llame
   - b. llama
   - c. llamará
   - d. llamar

8. Me ha preguntado _____ ya he firmado el contrato.
   - a. si
   - b. que
   - c. dónde
   - d. cuándo

9. Si suben los salarios, _____ la inflación.
   - a. supera
   - b. disminuye
   - c. aumenta
   - d. pierde

10. Si mañana _____ tiempo, _____ al zoo.
    - a. tendremos/vamos
    - b. tenemos/iremos
    - c. hemos/iremos
    - d. vamos a tener/vamos

11. Lo siento, pero tenemos que _____ la reunión.
    - a. aportar
    - b. facturar
    - c. aplazar
    - d. disponer

12. Necesitamos los catálogos _____ .
    - a. urgente
    - b. lo antes posible
    - c. antes posible
    - d. es posible

13. ● Qué has hecho con la lámpara?
    ● _____ a un amigo.
    - a. He regalado
    - b. Regálaselo
    - c. Se la he regalado
    - d. Se lo he regalado

14. En el 2005 _____ en Ciencias Políticas.
    - a. me cambié
    - b. me perfeccioné
    - c. me licencié
    - d. me trasladé

15. Eva _____ muy creativa y _____ mucha iniciativa.
    - a. tiene/es
    - b. es/es
    - c. tiene/tiene
    - d. es/tiene

16. Como _____ un sueldo muy bajo, cambió de trabajo.
    - a. tendrá
    - b. tuvo
    - c. tenía
    - d. tiene

17. En junio terminó la carrera y _____ tres meses encontró trabajo.
    - a. después
    - b. más tarde
    - c. más tarde de
    - d. al cabo de

18. ● ¿Qué tal fue la entrevista?
    ● Pues muy _____ .
    - a. fatal
    - b. bastante bien
    - c. bien
    - d. regular

19. Trabajo en una multinacional _____ el 2004.
    - a. desde
    - b. hasta
    - c. de
    - d. del

20. Me subieron el sueldo hace _____ .
    - a. el año pasado
    - b. anteayer
    - c. tres semanas
    - d. en junio

Resultado: _____ de 20

2. Lee este anuncio y marca si las frases son verdaderas (V) o falsas (F).

OFERTA ESPECIAL
Salidas todos los martes de agosto, septiembre y octubre

Viajes Sol

RUTA MAYA: México-Guatemala-Belice
16 días
995 €
más de 6000 oficinas en toda España

Incluye visitas con guía oficial a:
Chichén Itzá, Uxmal, Agua Azul, San Juan Chamula, Santiago Atitlán, Tikal y Tulúm.

El precio incluye:
- Alojamiento y desayuno
- Vuelos Madrid-Cancún-Madrid
- Vuelo Guatemala-Flores
- Hoteles de tres y cuatro estrellas
- Transporte terrestre en todo el circuito
- Seguro de viaje

	V	F
1. La oferta incluye habitación y desayuno.		
2. Los vuelos salen de Barcelona.		
3. El precio incluye un seguro de viaje.		
4. Todos los hoteles son de cuatro estrellas.		
5. Viajes Sol tiene más de 6000 oficinas.		
6. Las salidas son los martes.		
7. En total se visitan tres países.		
8. La oferta incluye visitas guiadas.		
9. Es una oferta para visitar México durante 16 días.		
10. Esta oferta dura todo el año.		

Resultado: de 10

CD 88

3. Escucha la entrevista que hacen en la radio a Carmen Fernández, propietaria de la cadena de librerías El Parnaso. Escribe cuándo hizo estas cosas.

¿Cuándo?

1. Empezó a trabajar en una galería de arte de Nueva York.
2. Se trasladó a Madrid.
3. La nombraron directora de la Fundación Jóvenes Artistas.
4. Fundó la cadena de librerías El Parnaso.
5. Le concedieron el Premio a la Iniciativa Empresarial.

Resultado: de 10

4. ¿En qué empresa te gustaría trabajar? Escribe una carta de presentación para esta empresa con todos los detalles sobre tus estudios y tu experiencia.

Resultado: de 10

TOTAL: **de 50**

Socios y colegas

1. La ciudad y la gente

Si trabaja con...

Socios 1 / Colegas 1	Otros materiales	Actividades
Unidad 1	medios de transporte mobiliario urbano establecimientos lugares públicos lugares de ocio	pp. 162, 163 y 164
Unidad 2	información personal: nombre, profesión, edad, nacionalidad	pp. 165 y 166

2. Codorníu. Una empresa de cava

Si trabaja con...

Socios 1 / Colegas 1	Otros materiales	Actividades

Unidad 3	números
	información básica
	  sobre una empresa
	ubicación: **estar** +
	  en + lugar
		pp. 167 y 168

Unidad 4	departamentos de
	  una empresa
	hablar del carácter
	  de una persona
	función de alguien
	  en una empresa
		pp. 169 y 170

3. Tres hoteles

Si trabaja con...

Socios 1 / Colegas 1	Otros materiales	Actividades
Unidad 5	localizar describir un hotel: **ser**, **estar**, **tener**, **hay**	pp. 171 y 172
Unidad 6	comparar superlativos **ser/estar** valorar y explicar una elección **preferir**	pp. 173, 174 y 175

4. Botafumeiro

Si trabaja con...

Socios 1 / Colegas 1	Otros materiales	Actividades
Unidad 7	**tener que** + Infinitivo presentes irregulares horarios días de la semana reservar mesa en un restaurante	pp. 176 y 177
Unidad 8	**gustar** hablar de preferencias **a mí, también/** **tampoco/sí/no** vocabulario de comidas	pp. 178 y 179

5. Francis Montesinos

Si trabaja con...

Socios 1 / Colegas 1	Otros materiales	Actividades

Unidad 9	**estar** + Gerundio
	ir a + Infinitivo
	describir un producto:
	  material, color,
	  características...
		pp. 180 y 181

Unidad 10	Pretérito Perfecto **ya/todavía no** **primero**, **luego**...	pp. 182 y 183

6. Trabajar en España

Si trabaja con...

Socios 1 / Colegas 1	Otros materiales	Actividades
Unidad 11	Imperativo	p. 184

Unidad 12	Pretérito Indefinido
	marcadores temporales
	hablar del carácter y
	  de las cualidades
	  de una persona
	hablar de las tareas
	  en el trabajo
		pp. 185, 186 y 187

La ciudad y la gente

COSAS DE LA CALLE Y TRANSPORTES

Alumno A

A. Pregunta a tu compañero los nombres de las cosas del apartado "Transportes" y escríbelos debajo de cada fotografía.

Transportes	Cosas de la calle

1. ....

2. ....

banco

semáforo

3. ....

4. ....

teléfono público

puerta

5. ....

6. ....

buzón

reloj

7. ....

8. ....

papelera

señal

✱
- ¿Cómo se dice esto en español?
- Taxi.
- ¿Y cómo se escribe?
- Te, a, equis, i.

B. Vas a ver un reportaje. ¿Qué transportes y qué objetos de los anteriores no aparecen en el capítulo "La ciudad"?

Alumno B

A. Pregunta a tu compañero los nombres de las cosas del apartado "Cosas de la calle" y escríbelos debajo de cada fotografía.

Transportes	Cosas de la calle

1. .... 2. ....

taxi bicicleta

3. .... 4. ....

autobús metro

5. .... 6. ....

coche barco

7. .... 8. ....

avión moto

★
- ● ¿Cómo se dice esto en español?
- ▪ Banco.
- ● ¿Y cómo se escribe?
- ▪ Be, a, ene, ce, o.

B. Vas a ver un reportaje. ¿Qué transportes y qué objetos de los anteriores no aparecen en el capítulo "La ciudad"?

LA CIUDAD

A. Todas estas cosas aparecen en el capítulo "La ciudad". ¿A qué apartado corresponde cada una? Escríbelo.

una perfumería

una papelera

un teatro

un autobús

una farmacia

un hospital

una discoteca

un taxi

un cine

un buzón

un parque

una peluquería

Transportes	Cosas de la calle	Establecimientos	Lugares públicos	Lugares de ocio

B. Ahora, mira el reportaje y compruébalo.

¿CUÁNTOS AÑOS TIENE?

A. Fíjate en estas doce personas y decide con tu compañero cuántos años creéis que tienen. Luego, podéis ver el capítulo "La gente" y comprobarlo.

1. Patricia Ivars Pineda
Tiene .... años.

2. Carlos Molina Infante
Tiene .... años.

3. Sira Mañas Roncero
Tiene .... años.

4. Rafael Molina Sebastiá
Tiene .... años.

5. Victoria Yela Domínguez
Tiene .... años.

6. Diego Paradela Puchalt
Tiene .... años.

7. Mª Fernanda Monti Plater
Tiene .... años.

8. Itziar Marcos Inés
Tiene .... años.

9. Ricardo González Vidal
Tiene .... años.

10. Gerardo Roa Benito
Tiene .... años.

11. Concepción López Vázquez
Tiene .... años.

12. Marisa Fernández Esteban
Tiene .... años.

B. ¿Dónde crees que trabaja cada una de estas personas? Completa los cuadros con la información siguiente.

en la Facultad de Derecho   en una escuela de Turismo   en la Facultad de Psicología   en unos grandes almacenes
en una clínica dental   en un periódico de Madrid   en una agencia de viajes   en Madrid
en una escuela técnica   de una empresa de Internet   de una empresa   en la televisión

	¿A qué se dedica?	¿Dónde?
1. Patricia	Es estudiante.	
2. Carlos	Es periodista.	
3. Sira	Es técnico de sonido.	
4. Rafael	Es agente de viajes.	
5. Victoria	Es guía turística.	
6. Diego	Es estudiante.	

	¿A qué se dedica?	¿Dónde?
7. Mª Fernanda	Es estudiante.	
8. Itziar	Es dentista.	
9. Ricardo	Es director.	
10. Gerardo	Es representante.	
11. Concepción	Es dependienta.	
12. Marisa	Es profesora.	

LA GENTE

A. Tres de estas doce frases no son correctas. Fíjate en el capítulo "La gente" y márcalas. Luego, corrígelas y escríbelas en el espacio de abajo.

1. Patricia es de las Islas Canarias.
2. Carlos tiene treinta y cinco años.
3. Sira es técnico de televisión.
4. Rafael es de Castellón.
5. Victoria es de Madrid.
6. Diego es estudiante.

7. Mª Fernanda es argentina.
8. Itziar es periodista.
9. Ricardo es de Venezuela.
10. Gerardo es de Burgos.
11. Concepción es madrileña.
12. Marisa es estudiante de Derecho.

....

....

....

B. ¿Qué preguntas crees que le han hecho a Patricia? Escríbelas.

Patricia Ivars Pineda

1. ¿ ?   Me llamo Patricia.

2. ¿ ?   Soy de Canarias.

3. ¿ ?   Soy estudiante de Turismo.

4. ¿ ?   Tengo veintidós años.

Codorníu. Una empresa de cava

LAS CAVAS

Mira el reportaje sobre Codorníu y completa estas ocho frases con la opción correcta.

1. **Codorníu es** _____ .

a. una escuela de cava
b. una agencia de café
c. una marca de cava

5. **El cava es** _____ .

a. un tipo de vino
b. un coche
c. una comida típica

2. **Codorníu tiene** _____ **trabajadores.**

a. 210
b. 310
c. 250

6. **Codorníu produce** _____ **al año.**

a. 33 millones de botellas
b. 63 millones de botellas
c. 36 millones de botellas

3. **Codorníu está en** _____ .

a. Madrid
b. Alicante
c. Barcelona

7. **Codorníu es una empresa** _____ .

a. francesa
b. española
c. portuguesa

4. **Codorníu tiene oficinas en** _____ .

a. China
b. Alemania
c. Italia

8. **Jose María Martí es el** _____ .

a. director general
b. recepcionista
c. director de Relaciones Públicas

CODORNÍU

Todas estas frases contienen información verdadera sobre la empresa Codorníu y sobre el cava, pero no todas aparecen en el reportaje. Marca con una cruz las informaciones que no se mencionan en el capítulo "Las cavas".

1. La fábrica de Codorníu está en Sant Sadurní d'Anoia (Barcelona).

2. Codorníu recibe a más de 150 000 visitantes al año.

3. En España la gente bebe cava normalmente como aperitivo o después de las comidas.

4. Puig i Cadafalch y Gaudí son dos arquitectos modernistas.

5. Las cavas están a 20 metros bajo tierra.

6. Las botellas de cava están en la cava como mínimo durante un año.

7. La vendimia termina a finales de octubre.

8. Existen 16 productos diferentes de cava Codorníu.

9. El proceso de elaboración del cava es el mismo que el del champán.

10. Codorníu tiene oficinas en diferentes países.

11. Codorníu es una empresa que tiene más de 125 años.

12. Las botellas son de color verde para proteger el cava de la luz.

LAS OFICINAS

A. Vamos a trabajar en parejas: A y B. Tu compañero tiene la información que tú no tienes sobre las actividades de los diferentes departamentos de una empresa. Hazle preguntas para completar el cuadro.

Alumno A

Departamentos	Actividades
1. El Departamento de Recursos Humanos	lleva la contratación de los trabajadores.
2. El Departamento de Informática	es responsable del funcionamiento de los ordenadores.
3. El Departamento de Marketing	se encarga de la publicidad de la empresa.
4. Recepción	
5. El Departamento de Contabilidad	
6. El Departamento de Logística	
7. El Departamento de Formación	enseña nuevas técnicas a los trabajadores.
8. Gerencia	
9. El Departamento de Exportación	
10. El Departamento de Comunicación	se encarga de las relaciones públicas de la empresa.

Alumno B

Departamentos	Actividades
1. El Departamento de Recursos Humanos	
2. El Departamento de Informática	
3. El Departamento de Marketing	
4. Recepción	se encarga de atender las llamadas telefónicas y las visitas.
5. El Departamento de Contabilidad	lleva las facturas.
6. El Departamento de Logística	lleva el transporte y la distribución de productos.
7. El Departamento de Formación	
8. Gerencia	es responsable del funcionamiento global de la empresa.
9. El Departamento de Exportación	se encarga de vender a otros países.
10. El Departamento de Comunicación	

 • ¿Qué hace el Departamento de Logística?
  ▪ Lleva el transporte y la distribución de productos.

B. Ahora, mira la segunda parte del reportaje y marca los departamentos de la sección anterior que tiene la empresa Codorníu.

LA GENTE DE CODORNÍU

A. ¿Recuerdas a estas dos personas? ¿Cómo crees que son? Coméntalo con tu compañero.

profesional	competente	responsable	inteligente	vago/a
guapo/a	joven	interesante	antipático/a	amable
tímido/a	simpático/a	serio/a	trabajador/ra	agradable

"Buenos días. Bienvenidos a Codorníu.
Mi nombre es José María Martí, director
del Departamento de Relaciones Públicas
y encantado de enseñarles nuestra casa."

"Buenos días. Bienvenidos a la casa
Codorníu. Mi nombre es Natalie Naval.
Soy adjunta a la dirección del Departamento
de Comunicación."

● A mí, José María Martí me parece muy profesional.
● Y también muy simpático.
● ¿Y ella?

B. ¿Quién crees que realiza estas funciones en Codorníu: José María o Natalie? Completa el cuadro.

	José María	Natalie
1. Lleva el mantenimiento y la actualización de la página web.		
2. Recibe a clientes importantes que visitan las cavas.		
3. Planifica, junto con el Departamento de Marketing, las campañas de publicidad de la empresa.		
4. Se encarga de organizar los eventos que se celebran en la antigua bodega.		
5. Se encarga de las relaciones con los medios de comunicación.		

La ciudad y la gente

¿DÓNDE ESTÁN?

Completa las fichas con el nombre de cada uno de los hoteles y con información sobre su ubicación.

| Barcelona | Valencia | NH Las Artes |

| Puerto Olímpico | la plaza de Neptuno | Palace |

| Arts | Madrid | la Ciudad de las Artes y las Ciencias |

1

El hotel ....

está en ....

y está cerca de ....

1

2

El hotel ....

está en ....

y está cerca de ....

2

3

El hotel ....

está en ....

y está cerca del ....

3

INFORMACIÓN

A. ¿Quién da las siguientes informaciones: Luz, Alicia o Jordi? Márcalo en el cuadro.

Luz · Alicia · Jordi

		Luz Galotto	Alicia Romay	Jordi Sala
1	Tiene 174 habitaciones.			
2	El gimnasio tiene dos plantas.			
3	Enfrente del hotel está el Museo del Prado.			
4	La piscina del hotel es cubierta.			
5	Hay apartamentos de una, dos o tres habitaciones.			
6	Los apartamentos son dúplex.			
7	El hotel está abierto desde 1994.			
8	El gimnasio es exterior.			
9	Los clientes normalmente son españoles.			
10	Está en Valencia.			
11	Es el hotel de lujo más grande de Europa.			
12	El bar del hotel tiene mucha historia.			
13	Está cerca de la Ciudad de las Artes y las Ciencias.			
14	Tiene 483 habitaciones.			

B. Ahora, en parejas, uno lee una de las frases y el otro, sin mirar, tiene que intentar adivinar a qué hotel hace referencia.

C. Escribe otras frases sobre los hoteles. Tu compañero tiene que adivinar de qué hotel estás hablando.

✳ ● Tiene desayuno bufé.
● ¿El Hotel Arts?
● No.

TU HOTEL PREFERIDO

A. Vas a ver un reportaje sobre tres hoteles. Toma notas sobre dónde están, cómo son, qué servicios ofrecen, etc.

B. ¿Cuál crees que es el hotel más...? ¿Y el menos...? Coméntalo con tu compañero.

el más moderno		el menos moderno
el más caro		el menos caro
el más alto		el menos alto
el más céntrico	HOTEL NH LAS ARTES	el menos céntrico
el más barato	HOTEL PALACE	el menos barato
el más cómodo	HOTEL ARTS	el menos cómodo
el más agradable		el menos agradable
el más clásico		el menos clásico
el más elegante		el menos elegante

C. Ahora, imagina que estás de vacaciones en España. ¿Cuál de estos tres hoteles prefieres? ¿Por qué?

 ● Prefiero el hotel ... porque...

UN FOLLETO PARA UN HOTEL

A. Fíjate en estos dos folletos. ¿Qué diferencias observas? Coméntalo con tu compañero.

NH HOTELES
Más de 300 hoteles en 21 países

Hotel NH LAS ARTES
★★★★

Situado junto a la Ciudad de las Artes y las Ciencias, y muy próximo a la Ciudad de la Justicia y a la zona lúdica de El Saler, tiene un fácil acceso a la autopista de El Saler y a las autovías de Madrid, Barcelona y Alicante.

174 habitaciones, incluidas 4 *suites* • Sauna y gimnasio • Piscina climatizada
Bar • Desayuno bufé • Restaurante NH Las Artes: cocina levantina
(verduras de temporada, ensaladas y arroces) y cocina innovadora •
7 magníficos salones para reuniones y conferencias

INFORMACIÓN Y RESERVAS NH 902 115 116

HOTEL NH LAS ARTES Avda. Instituto Obrero, 28 46013 Valencia
Teléfono 96 335 13 10 – Fax 96 374 86 22 – nhlasartes@nh-hoteles.es

El confort y la elegancia que usted se merece.
El excepcional servicio que usted espera.

Hotel Arts Barcelona
★ ★ ★ ★ ★

El edifico más alto de Barcelona, con 44 plantas y unas vistas impresionantes al puerto deportivo y a la ciudad.

483 habitaciones y *suites* • 28 lujosos apartamentos dúplex • *Spa* y gimnasio en la planta 42 • tratamientos de belleza y masajes • 100 m² de terrazas y jardines, *jacuzzi* al aire libre y al lado de la playa • Piscina exterior equipada con hamacas • 3 bares y cafeterías • 14 salones para reuniones, banquetes y presentaciones

4 restaurantes:
Restaurante Arola. Cocina de creador, dos estrellas Michelin.
Enoteca. Restaurante y bodega con 350 referencias. Cocina mediterránea.
Bites. Platos rápidos e informales.
Bar Marina. Restaurante exterior (en la piscina): ensaladas, sopas frías, pizzas...

 Hotel Arts Barcelona
C/ Marina, 19-21 08005 Barcelona I Teléfono para reservas: 900 221 900
Teléfono: 93 221 10 00 I Fax: 93 221 10 70 I www.hotelartsbarcelona.com

 ● El Hotel Arts tiene muchas más habitaciones que el NH Las Artes.
● Sí, es verdad. Y también tiene más salones para reuniones.
● Sí, el doble.

B. Ahora, vas a escribir el texto de un folleto publicitario para el Hotel Palace de Madrid. No te olvides de tomar notas mientras ves el reportaje. Puedes utilizar estos dos folletos como modelo.

Botafumeiro

DVD

LA PLANTILLA

En este reportaje vas a ver cómo funciona un restaurante de lujo en Barcelona. Vas a conocer a las diferentes personas que trabajan en un restaurante. Lee cómo explican cuatro de los empleados del Botafumeiro en qué consiste su trabajo. Luego, mientras ves el reportaje, decide quién ha dicho cada párrafo.

jefe de cocina	*sommelier*	director	camarero	*maître*

A. Tengo que probar los vinos y organizar la bodega. Además, tengo que ayudar al cliente a encontrar un vino adecuado para el plato que va a comer.

Nombre: ....

Cargo: ....

1. Enrique Quiroga

B. Cuando el cliente ya está en su mesa, tengo que dar las cartas y ofrecerle un aperitivo. También tengo que hacer sugerencias y dar consejos sobre los platos de la carta.

Nombre: ....

Cargo: ....

2. Pablo Herranz

C. Tengo que dar la bienvenida a los clientes, especialmente si son personas importantes. Además, tengo que supervisar todo lo que pasa en el comedor y con los camareros.

Nombre: ....

Cargo: ....

3. Luis Gericó

D. Tengo que supervisar a todas las personas que trabajan en el restaurante. Tengo que organizar el funcionamiento global del restaurante.

Nombre: ....

Cargo: ....

4. Luis Cortinas

E. Tengo que dirigir a las treinta personas que tengo en la cocina. Tengo que supervisar todos los platos antes de servirlos al cliente.

Nombre: ....

Cargo: ....

5. Aurelio Vázquez

PREGUNTAS

A. Imagina que eres periodista y que tienes que realizar un reportaje sobre un restaurante de lujo. Para ello, vas a entrevistar a diferentes personas que trabajan en el restaurante. ¿A quién harías cada una de estas preguntas?

1	¿Cierran algún día de la semana?
2	¿Qué vino recomienda para el marisco?
3	¿Quién viene al Botafumeiro?
4	¿Cuántos años tiene el restaurante?
5	¿De dónde es la cocina del Botafumeiro?
6	¿En qué consiste el trabajo de un *sommelier*?
7	¿Cuánta propina dejan los clientes?
8	¿Qué horario tiene el restaurante?
9	¿Qué hace cuando llega un cliente?
10	¿Cuántas personas hay en la cocina?
11	¿Cuántos salones privados tiene?
12	¿Cuál es el secreto de la cocina del Botafumeiro?

director del restaurante

maître

camarero

jefe de cocina

sommelier

B. Ahora, mira el reportaje e intenta responder a todas las preguntas.

1			7	
2			8	
3			9	
4			10	
5			11	
6			12	

PREFERENCIAS

Lee lo que dicen estas personas y decide si el Botafumeiro es un restaurante adecuado para ellas. Coméntalo con tu compañero.

1. Álvaro
"No me gusta nada el marisco. Soy alérgico."

2. Ángel Luis Huertas
"Soy vegetariano. No como ni carne ni pescado. ¡Y no hago excepciones!"

3. Margarita Rodríguez
"Me encantan los postres, pero me preocupan los kilos."

4. Ana
"Cuando voy a un restaurante, me gusta elegir el vino. Para mí, el vino es tan importante como la comida."

5. Diego Martínez
"Para las comidas de negocios me gustan los restaurantes con espacios privados y tranquilos."

6. Mª del Pilar Alonso
"Prefiero los restaurantes pequeños y familiares. No me gusta tener a muchos camareros a mi alrededor."

7. Naxeli
"No me gustan los restaurantes donde los camareros te sugieren platos. Prefiero escoger yo sola."

8. Tomás
"Me encanta ir a los restaurantes donde va la gente famosa."

9. Yolanda
"Cuando puedo, me encanta ir a restaurantes de lujo. Me encanta el marisco."

 ● Álvaro no puede ir al Botafumeiro.
● ¿Seguro? Pero puede comer otras cosas...

ME GUSTA, NO ME GUSTA

A. Piensa y escribe qué te gusta y qué no te gusta cuando vas a un restaurante. Trata de escribir al menos tres cosas que te gustan y tres que no te gustan.

ME GUSTA/ME GUSTAN	NO ME GUSTA/NO ME GUSTAN

B. Con la información que has escrito en el apartado anterior, busca en la clase a la persona que más coincide contigo. Tienes que darle un punto por cada cosa en la que coincidís.

NOMBRE	PUNTOS	TOTAL PUNTOS

 ● A mí me gusta comer a las dos del mediodía. ¿Y a ti?
● A mí, también.

C. Ahora, mirad el reportaje y decidid si el Botafumeiro es una buena elección para vosotros.

Francis Montesinos

EL MUNDO DE LA MODA

A. ¿Te interesa la moda? Completa el test. Luego, mira los resultados y coméntalo con tu compañero.

1. ¿Cuál es tu prenda de vestir favorita?

a) Unos tejanos.

b) Depende de la ocasión.

c) Un chándal.

2. Cuando te presentan a alguien, ¿en qué te fijas especialmente?

a) En sus ojos.

b) En la ropa que lleva.

c) En su manera de hablar.

3. ¿Cuánto tiempo tardas en vestirte por la mañana?

a) De cinco a diez minutos, más o menos.

b) Media hora como mínimo.

c) Unos dos minutos.

4. ¿Lees revistas de moda?

a) Solo cuando voy al dentista.

b) Sí, me encantan.

c) No, nunca.

5. ¿Con qué frecuencia vas de compras?

a) Solo cuando necesito algo.

b) Casi todas las semanas.

c) Nunca, es muy aburrido.

6. ¿Quién es Francis Montesinos?

a) Un torero.

b) Un diseñador de moda.

c) Un futbolista.

RESULTADOS:
Mayoría de respuestas A: tienes cierto interés por la moda, pero no vives pendiente de ella.
Mayoría de respuestas B: sigues las tendencias y te apasiona el mundo de la moda.
Mayoría de respuestas C: la moda no es lo tuyo.

B. Ahora, mira el reportaje sobre el diseñador español Francis Montesinos y responde a estas preguntas.

1 ¿Dónde está el estudio de Francis Montesinos?

....

2 ¿En qué están trabajando ahora?

....

3 ¿En qué está inspirada la nueva colección?

....

4 ¿Cuál es el aspecto más característico de los diseños de Montesinos?

....

5 ¿Cuál es la cita más importante para Montesinos en España?

....

UN NUEVO MODELO PARA MONTESINOS

A. Clasifica estas palabras en su columna correspondiente.

falda, algodón, sombrero, vestido, blusa, a rayas, seda, chaqueta, pendientes, de flores, piel,
a cuadros, mantón, lana, zapatos, pantalón, cinturón

Prendas de vestir	Complementos	Tejidos	Estampados

B. Ahora, vas a ver un reportaje realizado en el taller de Francis Montesinos. Toma nota de cómo es su estilo, cómo son sus diseños, qué colores utiliza, qué tejidos, etc.

C. En parejas, imaginad que sois diseñadores de moda y que Montesinos os pide que diseñéis un modelo. Vosotros elegís la prenda, los complementos, los tejidos, los estampados, etc. Completad la ficha y haced un dibujo. Después, lo presentaréis a la clase. ¿Cuál es el diseño que le va a gustar más a Montesinos?

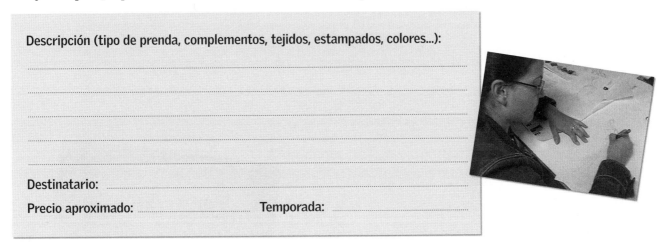

Descripción (tipo de prenda, complementos, tejidos, estampados, colores...):

Destinatario:

Precio aproximado: Temporada:

 ● Nosotros vamos a confeccionar un vestido. El vestido va a ser de seda verde, de manga larga...

FRANCIS MONTESINOS

A. Vas a ver un reportaje sobre el diseñador español Francis Montesinos. Marca si las informaciones del cuadro son verdaderas o falsas.

		Verdadero	Falso
1	Ana Martínez Gorostiza es la directora de Relaciones Públicas.		
2	El estudio de Francis Montesinos está cerca de Valencia.		
3	Para diseñar su próxima colección, Montesinos se ha inspirado en Cuba.		
4	Ya ha presentado su nueva colección "Un invierno tropical".		
5	Susi Torres es la jefa de Comunicación.		
6	En la fase de producción, primero eligen los tejidos y luego el tema de la colección.		
7	Este año han empezado a trabajar con una fábrica que está cerca de Valencia.		
8	Montesinos está muy influenciado por la cultura mediterránea.		
9	La Pasarela Cibeles se celebra una vez al año en Madrid.		
10	Francis Montesinos ha trabajado con el cantante y actor Miguel Bosé.		

B. Ahora, corrige las frases que no son ciertas.

....

....

....

....

UNA NUEVA COLECCIÓN

A. Aquí tienes los diferentes pasos que se siguen en el taller del diseñador valenciano Francis Montesinos para confeccionar una colección de moda. ¿Puedes ordenarlos? Luego, mira el reportaje y compruébalo.

Desarrollamos las ideas y dibujamos los bocetos.	Hacemos las pruebas a las modelos.
Empezamos a partir de una idea del diseñador, un tema en torno al que va a girar la colección.	Intentamos combinar los bocetos con los tejidos.
Presentamos la colección en las pasarelas.	Hacemos un trabajo de investigación: se buscan referentes sobre el tema, se recopila información...
Elegimos los tejidos y los colores.	Hacemos los prototipos de las prendas.

B. Vuelve a visionar el reportaje y fíjate en los diseños de Montesinos. Toma notas sobre los elementos en los que se inspira el diseñador. ¿En qué país se ha inspirado para su última colección?

C. Imagina que, para su próxima colección, Montesinos quiere inspirarse en tu país. Tú vas a ser su asesor personal. ¿En qué elementos culturales crees que puede inspirarse? ¿Por qué? Escríbelo.

Trabajar en España

TRABAJO

A. Después de ver el reportaje, ya sabes en qué consisten los trabajos de Andrea, de Briana, de Sigrid y de Dominique. Ahora, marca dónde puedes escuchar cada una de las peticiones o instrucciones del cuadro.

1. Teatro del Liceo

2. Hewlett-Packard

3. Editorial Salamandra

4. Agencia de viajes Baraka

	PETICIONES O INSTRUCCIONES	1	2	3	4
1	Repita la última parte, pero con más fuerza.				
2	Envía un correo electrónico con los datos de los hoteles, por favor.				
3	Llama al representante de este autor, por favor.				
4	Empiece de nuevo, pero mucho más lento.				
5	Ven a verme con las propuestas de nuevos destinos para la próxima temporada.				
6	Ve a Exportación y diles que el nuevo plan ha sido aprobado.				
7	Vaya a recoger a los turistas al aeropuerto a las 7 de la tarde, por favor.				
8	Pon todos los libros publicados en el último mes en este rincón.				
9	Envíe las nuevas impresoras a Alemania lo antes posible.				
10	Espere dos segundos más antes de empezar a tocar.				

B. Ahora, piensa tú en peticiones o instrucciones que pueden dar estas cuatro personas a sus compañeros de trabajo o a las personas que trabajan para ellos. Después, léeselas a tu compañero, que te dirá de quién se trata.

- "Pásame el catálogo del Caribe, por favor."
- ¿Es Dominique Thomas?
- Sí.

INFORMACIÓN FALSA

A. Vas a ver a cuatro personas que describen en qué consisten sus respectivos trabajos. Primero, lee estos párrafos. Luego, tras ver el capítulo "Trabajo", debes encontrar una información falsa en cada párrafo.

Dominique

Dominique Thomas dice que su trabajo consiste en reservar hoteles, plazas de aviones, coches, guías locales... Además, tiene que encontrar corresponsales en los diferentes países para organizar excursiones. También lleva la contabilidad.

Briana Barragán dice que su trabajo es planificar la fabricación de impresoras. Tiene que calcular cuántas impresoras se tienen que fabricar y cuántas se tienen que distribuir a los diferentes centros. Las impresoras se distribuyen desde España a toda Europa.

Briana

Andrea

Andrea Cerutti dice que su trabajo consiste en tocar el violín en las óperas que se representan en el Teatro del Liceo. Nos comenta que la preparación de la parte musical dura entre siete y catorce días y que a veces tiene que sustituir al director de orquesta. Cuando la ópera está lista, suele haber entre siete y doce representaciones.

Sigrid Kraus dice que en su trabajo tiene que hablar con los lectores para ver qué libro les ha gustado más. Además, debe seleccionar los nuevos libros que se van a publicar. También debe viajar a ferias internacionales y estar informada de lo que ocurre en los mercados extranjeros.

Sigrid

B. Ahora, comprueba tus respuestas con las de tu compañero.

TRAYECTORIA PROFESIONAL

A. Marca en el cuadro quién dice cada una de estas frases.

		Dominique	Briana	Andrea	Sigrid
1	Hace cinco años volví a estudiar.				
2	En IBM estuve dos años.				
3	Me fui a Viena a hacer tres años de perfeccionamiento.				
4	Viajé mucho por Europa.				
5	Trabajé en una plataforma petrolífera.				
6	Comencé a trabajar en Ramix.				
7	Terminé la universidad en el 92.				
8	Cursé estudios de Literatura y Empresariales.				
9	Decidí quedarme en Alemania.				
10	Acabé mi carrera en Italia.				

B. Vuelve a leer la información que nos da Sigrid. Esta vez tenemos las fechas. Escribe un texto enlazando las frases con las expresiones de la caja.

el mismo año	al año siguiente	... años después	al cabo de ... años	... años más tarde

1978: Terminé la carrera escolar en Brasil.

1979: Fui a Alemania.

1979-1982: Trabajé en una editorial en Alemania.

1982: Trabajé en una editorial española durante tres meses.

1983: Decidí quedarme en Alemania y empezar a estudiar en la universidad.

1983-1988: Estudié en la Universidad de Hamburgo.

1990: Decidí volver a España y desde entonces vivo y trabajo aquí.

En 1978 terminó la carrera escolar en Brasil y un año más tarde...

CUALIDADES E IMPRESIONES

A. ¿Qué cualidades crees que deben reunir estos profesionales? Completa el cuadro. Si lo consideras conveniente, puedes poner la misma cualidad en más de una columna.

tener don de gentes   tener afición por la lectura   tener paciencia

tener talento   ser buen/buena vendedor/ra   tener espíritu de equipo

ser organizado/a   saber idiomas   tener curiosidad   ser amable

Agente de viajes	Ingeniero/a industrial	Violinista en una orquesta	Editor/ra

B. Ahora, mira el capítulo "Cualidades" del reportaje y comprueba si coinciden con tu opinión. ¿Puedes añadir alguna cualidad más?

C. En el capítulo "Impresiones" vas a escuchar las opiniones que tienen estas personas sobre su experiencia laboral en España. ¿Qué frase resume mejor la opinión de cada una?

1	La gente en España habla mucho y muy rápido.	
2	En España el ambiente de trabajo es divertido, pero a veces no muy organizado.	
3	El público español es muy apasionado.	
4	La gente en España no hace planes a largo plazo. Improvisan más.	

D. Ahora, en parejas, comentad las afirmaciones anteriores. ¿Estáis de acuerdo? Comparadlas también con vuestros países.

✳ ● La gente en España habla mucho y muy rápido.
    ● Sí, es verdad, pero en Italia es igual, la gente también habla mucho, incluso más que en España.
    ● Supongo que depende de la zona, del tipo de persona...

LA CIUDAD Y LA GENTE

Cosas de la calle y transportes
Transportes: barco, avión / **Cosas de la calle:** puerta, reloj, señal

La ciudad
Transportes: un autobús, un taxi / **Cosas de la calle:** una papelera, un buzón / **Establecimientos:** una perfumería, una farmacia, una peluquería / **Lugares públicos:** un hospital, un parque / **Lugares de ocio:** un teatro, una discoteca, un cine

¿Cuántos años tiene?
A.
1. 22　**2.** 25　**3.** 27　**4.** 54　**5.** 35　**6.** 21
7. 31　**8.** 24　**9.** 37　**10.** 44　**11.** 28　**12.** 29
B.
1. en una escuela de Turismo / **2.** en un periódico de Madrid / **3.** en la televisión / **4.** en una agencia de viajes / **5.** en Madrid / **6.** en una escuela técnica / **7.** en la Facultad de Psicología / **8.** en una clínica dental / **9.** de una empresa de Internet / **10.** de una empresa / **11.** en unos grandes almacenes / **12.** en la Facultad de Derecho

La gente
A.
2. Carlos tiene veinticinco años. / **8.** Itziar es dentista. / **12.** Marisa es profesora de Derecho.
B.
1. ¿Cómo te llamas? / **2.** ¿De dónde eres? / **3.** ¿A qué te dedicas? / **4.** ¿Cuántos años tienes?

CODORNÍU. UNA EMPRESA DE CAVA

Las cavas
1. c / **2.** a / **3.** c / **4.** b / **5.** a / **6.** a / **7.** b / **8.** c

Codorníu
3. En España la gente bebe cava normalmente como aperitivo o después de las comidas.
4. Puig i Cadafalch y Gaudí son dos arquitectos modernistas.
9. El proceso de elaboración del cava es el mismo que el del champán.
11. Codorníu es una empresa que tiene más de 125 años.
12. Las botellas son de color verde para proteger el cava de la luz.

Las oficinas
Departamento de Recursos Humanos, Departamento de Marketing, Departamento de Contabilidad, Departamento de Logística, Gerencia, Departamento de Exportación y Departamento de Comunicación.

La gente de Codorníu
José María: 2, 4 / Natalie: 1, 3, 5

TRES HOTELES

¿Dónde están?
1. NH Las Artes, Valencia, la Ciudad de las Artes y las Ciencias / **2.** Palace, Madrid, la plaza de Neptuno / **3.** Arts, Barcelona, Puerto Olímpico

Información
Luz Galotto: 1, 4, 9, 10, 13 / **Alicia Romay:** 3, 8, 11, 12 / **Jordi Sala:** 2, 5, 6, 7, 14

BOTAFUMEIRO

La plantilla
A. Luis Cortinas, *sommelier* / **B.** Pablo Herranz, camarero / **C.** Enrique Quiroga, *maître* / **D.** Aurelio Vázquez, director / **E.** Luis Gericó, jefe de cocina

Preguntas
B.
(Solución aproximada)
1. No. / **2.** Un buen vino blanco. / **3.** Todo tipo de personas: el señor de la tienda de al lado, el Rey, gente del cine, de la política, de los negocios... / **4.** Veintisiete años. / **5.** Gallega. / **6.** Fusionar la comida con el vino. / **7.** Entre un 5 y un 10%. / **8.** De una del mediodía a una de la madrugada. / **9.** Se le ofrece un aperitivo. / **10.** Unas 30. / **11.** Siete. / **12.** La calidad de la materia prima.

FRANCIS MONTESINOS

El mundo de la moda
B.
1. En Valencia, en un edificio en el casco histórico. / **2.** En la colección del próximo otoño-invierno. / **3.** En Cuba. / **4.** El estampado. / **5.** La Pasarela Cibeles.

Un nuevo modelo para Montesinos
A.
Prendas de vestir: falda, vestido, blusa, chaqueta, pantalón
Complementos: sombrero, pendientes, mantón, zapatos, cinturón
Tejidos: algodón, seda, piel, lana
Estampados: a rayas, de flores, a cuadros

Francis Montesinos
A.
Verdadero: 1, 3, 7, 8, 10 / **Falso:** 2, 4, 5, 6, 9
B.
2. El estudio de Montesinos está en Valencia. / **4.** Todavía no ha presentado la nueva colección "Un invierno tropical". / **5.** Susi Torres es la jefa de Producto. / **6.** En la fase de producción, primero eligen el tema de la colección y luego los tejidos. / **9.** La Pasarela Cibeles se celebra dos veces al año en Madrid.

Una nueva colección
A.
1. Empezamos a partir de una idea del diseñador, un tema en torno al que va a girar la colección. / **2.** Hacemos un trabajo de investigación: se buscan referentes sobre el tema, se recopila información... / **3.** Desarrollamos las ideas y dibujamos los bocetos. / **4.** Elegimos los tejidos y los colores. / **5.** Intentamos combinar los bocetos con los tejidos. / **6.** Hacemos los prototipos de las prendas. / **7.** Hacemos las pruebas a las modelos. / **8.** Presentamos la colección en las pasarelas.

TRABAJAR EN ESPAÑA

Trabajo
Teatro del Liceo: 1, 4, 10 / **Hewlett-Packard:** 6, 9
Editorial Salamandra: 3, 8 / **Agencia de viajes Baraka:** 2, 5, 7

Información falsa
Dominique: También lleva la contabilidad.
Briana: Las impresoras se distribuyen desde España a toda Europa.
Andrea: A veces tiene que sustituir al director de orquesta.
Sigrid: Tiene que hablar con los lectores para ver qué libro les ha gustado más.

Trayectoria profesional
Dominique: 1, 5 / **Briana:** 2, 6, 7　**Andrea:** 3, 10　**Sigrid:** 4, 8, 9

Cualidades e impresiones
C.
1. Briana / **2.** Sigrid / **3.** Andrea / **4.** Dominique

T

Transcripciones

UNIDAD 1

3. > pista 1

1. apellido
2. taxi
3. farmacia
4. nacionalidad
5. pasaporte
6. gracias
7. metro
8. servicios
9. trabajo
10. silla

4. > pista 2

1.
● Buenos días. Asiento 13 A, señor.

2.
● Buenos días. A ver, el 19 E es hacia la mitad a la derecha.
● Muy amable.

3.
● Hola. Asiento 4 E. Aquí al lado.
● Vale.

4.
● Buenos días. El 10 G.
● ¿Cuál?
● El 10 G.
● Ah, 10 G. De acuerdo.
● Buen viaje.

5.
● Hola, buenos días. Su asiento es el 8 F. Está a la izquierda.
● Vale. Gracias.

6.
● A ver, asiento 16 B.
● ¿Perdón? ¿16 qué?
● Sí, 16 B.
● Ah. Vale.
● Buen viaje.

7.
● Hola, buenos días. 20 H, más adelante.
● Muy bien.

8.
● Hola, buenos días.
● Buenos días.
● Asiento 1 A, señora. Es aquí mismo.
● Ah, muy bien, muchas gracias.
● Buen viaje.

9.
● Hola, buenos días.
● Buenos días.
● A ver, 4 C. Aquí a la derecha.
● Muy amable.
● Buen viaje.

6.

1. > pista 3
● Bienvenido al servicio de Información de Telefónica. Le atiende Roberto Matte. ¿En qué puedo ayudarle?
● Por favor, ¿el Hotel Continental, de Zaragoza?
● Sí, tome nota: nueve, siete, seis, dos, uno, cuatro, cinco, nueve, ocho.

2. > pista 4
● Bienvenido al servicio de Información de Telefónica. Le atiende Ana Ocón. ¿En qué puedo ayudarle?
● Por favor, ¿el teléfono del Hotel Mirasol, de Málaga?
● A ver, sí, tome nota: nueve, cinco, siete, tres, cero, cero, cero, nueve, seis.

3. > pista 5
● Bienvenido al servicio de Información de Telefónica. Le atiende Sonia García. ¿En qué puedo ayudarle?
● Hola, quisiera un número telefónico de Sevilla, el Hotel Inter América.
● Un momento, por favor. Anote: nueve, cuatro, dos, tres, seis, cero, cero, dos, cuatro.

4. > pista 6
● Bienvenido a Información de Telefónica. Le atiende Anastasio Sánchez. ¿En qué puedo ayudarle?
● Sí, por favor, ¿el teléfono del Hotel Victoria, de Madrid?
● Tome nota: nueve, uno, tres, cuatro, cero, cero, dos, dos, dos.

5. > pista 7
● Bienvenido al servicio de Información de Telefónica. Le atiende Alicia Martínez. ¿En qué puedo ayudarle?
● Hola, buenos días. Por favor, ¿podría darme el teléfono del Hotel Murrieta, de San Sebastián?
● Aquí lo tiene. Tome nota: nueve, cuatro, tres, dos, ocho, nueve, cero, nueve, nueve.

8. > pista 8

1.
¡El señor Céspedes, por favor!

2.
Señora Zúñiga, Maite Zúñiga, pase por recepción, por favor.

3.
● ¿Señor Cifuentes?
● Sí, soy yo.
● Tiene una llamada.

4.
¡Señor Quesada! ¡Señor Quesada!

5.
● Perdone, ¿es usted el señor Zárate?
● Sí.

6.
Señor Calderón, por favor. Tiene una llamada.

7.
¡Señor Mendoza, Ramón Mendoza!

8.
A ver, perdonen señores, estoy buscando al señor Queralt, Carlos Queralt.

9.
¡Señor Castillo! ¡Señor Castillo!

10.
● ¿La señora Quintana?
● Sí, yo misma.
● ¿Podría acompañarme? Tiene que rellenar unos papeles.

11.
¡Señor Cuerda, Ricardo Cuerda!

12.
● A ver, ¿la señora Cortés?
● Sí, soy yo. ¿Qué pasa?

12. > pista 9

1. ge, u, a, te, e, eme, a, ele, a
2. be, erre, a, ese, i, ele
3. u, erre, u, ge, u, a, i griega
4. hache, o, ene, de, u, erre, a, ese
5. pe, e, erre, u
6. be, o, ele, i, uve, i, a
7. a, erre, ge, e, ene, te, i, ene, a
8. uve, e, ene, e, zeta, u, e, ele, a
9. eme, e, equis, i, ce, o

UNIDAD 2

5. > pista 10

1. Luisa, ¿tienes fax?
2. Perdone, ¿cuál es su apellido, por favor?
3. ¿Me das tu número de teléfono?
4. ¿A qué se dedica, señora Pueyo?
5. ¿Cuántos años tienes?
6. ¿Dónde trabaja?
7. Martina, ¿dónde vives?
8. ¿Usted es el jefe de Ventas?
9. ¿Y usted dónde vive?

8. > pista 11

● Bueno, a ver, del contrato con los distribuidores hay que hacer quince fotocopias.
● Espera un momento, que lo apunto: del contrato, quince. ¿Qué más?
● Del programa del curso de formación son cincuenta fotocopias.
● Vale, cincuenta fotocopias.
● De la factura de la impresora hay que hacer solo dos fotocopias.
● Ajá.
● A ver, también hay que hacer fotocopias del memorándum de la consultora. Son treinta fotocopias.

● A ver, treinta de esto, de acuerdo.
● También hay que fotocopiar este dossier. Son cuarenta y cinco fotocopias.
● Del dossier, cuarenta y cinco.
● Y esto es lo último: del presupuesto, quince fotocopias.
● Muy bien, pues ahora mismo te las hago.

9. > pista 12

1. Luisa y Pedro son abogados.
2. Carlos estudia Medicina.
3. ¿Es taxista?
4. ¿Ana trabaja en un supermercado?
5. Pilar hace gimnasia todos los días.
6. Felipe vive en el segundo piso.
7. ¿Irene trabaja en la televisión?
8. ¿Son vendedores?

19. > pista 13

1. Y tú, Nuria, ¿en qué piso vives?
2. Señor Ortega, ¿me da su dirección, por favor?
3. Y vosotros, ¿qué hacéis?
4. ¿Ana y Ricardo qué hacen?
5. Perdón, señor Mateos, ¿usted dónde trabaja?
6. Oye, ¿a qué se dedica Manolo?

UNIDAD 3

2. > pista 14

tengo
exportar
vendéis
está
hacemos
produce
producir
tiene
vives
compramos
exportáis
decidir
diseña
compráis
moto
japonés
griego
sucursal
inglés
vendemos

4. > pista 15

teléfono
laboratorio
tecnología
hotel
petróleo
café
compañía
industria
academia
nacionalidad
ecología

supermercado
hospital
restaurante
producción
internacional
alcohol

8. > pista 16

● Bienvenidos al programa "Hablando de empresas".
● Tenemos hoy con nosotros al señor Luis Chamorro, para que nos explique algunas cosas de su empresa... Buenos días, señor Chamorro, ¿cómo está?
● Muy bien. Muchas gracias.
● Bueno, voy a hacerle algunas preguntas para que nuestros oyentes conozcan su empresa.
● Perfecto.
● ¿Cómo se llama su empresa?
● Pues mi empresa, bueno, nuestra empresa, porque somos varios socios, se llama Infomundial.
● Y, ¿qué tipo de empresa es? ¿Qué fabrica?
● Fabricamos programas informáticos de seguridad para empresas.
● ¿Y tienen muchos clientes?
● Ahora mismo tenemos 200 clientes, principalmente empresas de informática, pero pensamos introducirnos en el sector de las empresas que venden por Internet.
● ¿Cuántos empleados tiene?
● Somos una empresa pequeña; alrededor de unas 50 personas.
● Y para terminar, ¿dónde está?
● Estamos en Barcelona, en la avenida Diagonal 570.
● Muy bien, pues muchas gracias, señor Chamorro, y mucha suerte.
● Gracias a ustedes.

9. > pista 17

doscientos veinticinco hoteles
cuatrocientas noventa y nueve sucursales
quinientas treinta fábricas
ciento quince bancos
trescientos setenta y cinco ordenadores
setecientos ochenta y cuatro aviones
ochocientos cincuenta supermercados
novecientos coches
seiscientos cuarenta y dos hospitales

15. > pista 18

1. Tenemos muchos clientes en el sector del automóvil.
2. Tienen sucursales en Argentina, Brasil y Chile.
3. ¿Estudias o trabajas?
4. Exportan relojes.
5. ¿Dónde está el jefe?
6. Quiero crear una cadena de hoteles.
7. Trabajo en una empresa automovilística.
8. Y vosotros, ¿qué empresa queréis crear?
9. ¿A qué te dedicas?
10. ¿Qué fabricáis?

**Comprueba tus conocimientos
Unidades 1, 2, 3**

3. > pista 19

● Hola, buenos días.
● Buenos días. Quería solicitar un crédito.
● Muy bien. Primero necesito saber sus datos personales. ¿Su nombre, por favor?
● Ana, Ana Comas Torres.
● ¿Perdón? ¿Sus apellidos?
● Comas Torres.
● Gracias, señora Comas. ¿Su dirección, por favor?
● Sí, vivo en Barcelona. En la calle París, número 15.
● Calle París, número 15, Barcelona. Muy bien. ¿A qué se dedica?
● Trabajo en un hotel. Soy recepcionista.
● Disculpe. ¿Está casada?
● No. Soltera.
● ¿El crédito estará solo a su nombre?
● Sí, sí.
● También necesitamos saber su edad. ¿Cuántos años tiene?
● Veintisiete.
● Muchas gracias. Si me firma aquí...

UNIDAD 4

2. > pista 20

● ¿Qué tal, Manuela?
● Pues... bien, mira, aquí, ¿qué me cuentas?
● Vengo de conocer a la nueva abogada. ¿La conocés?
● Sí, me la han presentado hace un momento. Ana, ¿no? Una mujer muy simpática... muy guapa y muy simpática.
● Sí, la verdad es que sí, es muy amable y también me dijeron que es muy competente y muy trabajadora.
● Bueno, ya veremos... Oye, por cierto, me han contado que nos cambian de despacho el próximo miércoles. ¿Sabes algo?

6. > pista 21

● Pues... mis padres se llaman Luis y Margarita. Tengo dos hermanos, bueno, un hermano, Antonio, y una hermana, Elena, que está casada.
● ¿Son mayores que tú?
● Sí, yo soy la pequeña. Antonio tiene cuarenta años, Elena, treinta y siete, y yo, treinta.
● ¿Y estás soltera?
● Sí, y ahora estoy viviendo con mis padres, pero estoy buscando piso porque quiero vivir sola.
● Y tu hermana Elena... ¿tiene hijos?
● ¡Sí! Tengo dos sobrinos: Miguel, que tiene diez años, y Elvira, de cinco; me encantan, me lo paso muy bien con ellos.
● ¿Y tienes más familia?
● Sí, claro, tíos y primos, y bueno, mis abuelos, los padres de mi madre, Vicente y Amparo... Ah, y mi cuñado, Paco, el marido de Elena.

Transcripciones

8. > pista 22

aburrido
presento
libro
correspondiente
rueda
divertido
general
recepción
director
Enrique
alrededor
responsable
serio
ruso
compañero

13. > pista 23

1. Juan, te presento a Ana, la hija de Miguel.
2. Luis, Pedro, os presento a Alberto, un compañero de trabajo.
3. Señora Luzón, mire, le presento a Pablo. Es el marido de Carmen.
4. Señor Aguirre, le presento a Ana Urruti y a Luis Delgado. Son los abogados de la empresa.
5. Alicia, te presento a unas amigas, Ángela y Sara.
6. Señor y señora Rodríguez, les presento a la señora Mateos. Es la responsable de Marketing.

16. > pista 24

1. ¡Adiós, hasta mañana!
2. Hola. Buenas noches.
3. Le presento al señor Vera, nuestro jefe de Marketing.
4. ¿Qué tal? ¿Cómo estás?
5. ¡Hola! ¡Buenos días!
6. ¡Buenas tardes!

20. > pista 25

● El equipo humano de la empresa es fantástico, ya verás. Todos en general... Juan Galindo, por ejemplo. Conoces a Juan, ¿verdad?
● ¿Juan Galindo? Creo que no.
● Sí... Juan es el diseñador gráfico.
● Ah, vale, sí, ya sé quién es.
● Juan es muy buen diseñador, es superprofesional y muy creativo. Ha ganado varios premios de diseño. Eso sí, es un poco tímido y no habla mucho...
● Ajá... ¿Y Daniela? ¿Cómo es?
● ¿Daniela Rosales?
● Sí.
● Bueno, pues Daniela es muy activa, trabaja muy rápido y conoce a mucha gente. Es perfecta para el trabajo que hace, la verdad.
● ¿Qué hace exactamente?
● Pues se encarga de la comunicación de la empresa y cuando tiene tiempo también de los contenidos de la página web.
● No está mal...
● Ah, por cierto, es la mujer de Juan Galindo.

● ¿Ah, sí?
● Sí, sí, sí, en serio, son marido y mujer.
● Vaya...
● Por cierto, ¿conoces a Alice Morgan?
● Mmm... Sí, es la directora de Marketing, ¿no?
● Sí, bueno, es la directora de Marketing y Expansión.
● ¿Es inglesa?
● Sí, de Manchester.
● Ah. ¿Es muy joven, ¿no?
● Sí, creo que tiene veinticuatro o veinticinco años, pero es muy competente y muy divertida. Tiene mucho sentido del humor.
● Muy bien... Oye, y... Alfredo es el jefe de Ventas, ¿no?
● Sí, sí... Alfredo es el que lleva más años en la empresa. Es muy agradable, muy simpático. Un auténtico espíritu comercial.
● ¿Cómo se llama de apellido?
● Garrido. Alfredo Garrido.
● Vale, vale. Oye, y... Isabel Planas, ¿qué cargo tiene exactamente?
● Isabel es la jefa de Contabilidad.
● Ah. ¿Y cómo es?
● Es muy trabajadora, organizada, superresponsable...
● ¿No es un poco antipática?
● No, no, qué va... Es seria, pero antipática, no.

UNIDAD 5

3.

1. > pista 26
● Oye, perdona ¿qué hora es?
● Las siete y cuarto.
● Gracias.

2. > pista 27
● Disculpe, ¿puede decirme la hora?
● Sí, a ver, las tres y veinti... Bueno, las tres y media.

3. > pista 28
● Antonio, a cenar que es tarde.
● ¿Qué hora es?
● Las diez menos cuarto.
● Ah.

4. > pista 29
● Oiga, ¿tiene hora, por favor?
● Mmm. Y veinte...
● ¿Las doce?
● No, no, la una.
● ¡Ah! Muchas gracias. ¡Qué tarde!

6. > pista 30

tijeras
sobre
estanco
grapadora
quiosco
bolígrafo
clip
banco
restaurante

cafetería
hoja
rotulador
cine
farmacia

9.

A. > pista 31
● ¿Sí?
● Hola cariño, soy yo.
● Ah, hola.
● Mira, que te llamo porque no encuentro las llaves del coche.
● ¿Las llaves del coche? Pues seguro que están donde siempre, al lado del teléfono.
● No, no están.

C. > pista 32
● ¿Sí?
● Hola cariño, soy yo.
● Ah, hola.
● Mira, que te llamo porque no encuentro las llaves del coche.
● ¿Las llaves del coche? Pues seguro que están donde siempre, al lado del teléfono.
● No, no están.
● Pues... no sé, mira por encima del escritorio.
● Tampoco están.
● ¿Tampoco? ¿Seguro que no están detrás del ordenador?
● No.
● Oye, pues no sé, pues... Ah, ya está. Mira, seguro que las llaves están en el cajón del escritorio.
● Que no, que no están.
● A ver, pero... ¿has mirado debajo de la alfombra?
● Sí...
● ¿Y qué?
● ¿Cómo que y qué? ¡Que no están! ¡Que no las encuentro!
● Pedro.
● ¿Qué?
● Espera, espera, que creo que las tengo yo. Ay, sí, mira, están en mi bolso.

11. > pista 33

Guipúzcoa
Jerez
Galicia
Santo Domingo
Gijón
Santiago
Cartagena
Jerusalén
Río de Janeiro
Los Ángeles
Bogotá
Málaga

UNIDAD 6

2. > pista 34

● Fincas Torres, buenos días.
● Hola, buenos días. Llamaba por un anuncio de un piso para alquilar en Bilbao.
● Sí, ¿me podría decir la referencia, por favor?
● Sí, a ver, es la 24/62.
● Vamos a ver, sí, aquí está. Pues es un piso que está muy bien, el edificio tiene unos treinta años pero el piso está totalmente nuevo.
● ¿Y entonces no necesita reformas?
● No, no, está para entrar a vivir.
● Muy bien.
● Tiene 110 metros cuadrados, tres habitaciones muy espaciosas; la cocina está totalmente equipada, y tiene un salón muy grande. Son treinta y cinco metros cuadrados de salón.
● ¿Qué piso es?
● A ver, un momento: es un tercero.
● Ajá. Y tiene ascensor, ¿no?
● Sí, sí, sí.
● Oiga, y ¿tiene luz?
● Sí, mucha. Es un piso muy luminoso. Tienes tres ventanas que dan a la calle, y además, piense que es un tercero.
● ¿Y dónde está exactamente?
● Está en la calle Mandobide.
● Es que no soy de Bilbao, ¿por dónde queda?
● Bueno, está cerca del Museo Guggenheim. Es una zona que está muy bien comunicada. Hay una parada de metro bastante cerca y muchos autobuses.
● ¿Y cuánto cuesta?
● 950 euros al mes.
● Ah, pues me interesa. ¿Cuándo puedo verlo?

6. > pista 35

1. prefiero
2. pueden
3. prefieres
4. quieres
5. vuelves
6. podemos
7. volvéis
8. preferimos
9. quieren
10. podéis
11. vuelve
12. quiero

7. > pista 36

siete
vivienda
nuestro
mueble
tienda
cuenta
nueve
puerta
griego
cliente
escuela
fiesta

Comprueba tus conocimientos
Unidades 4, 5, 6

3. > pista 37

1.
● Oye, perdona. ¿Sabes si hay una oficina de Correos cerca de aquí?
● Sí, al final de esta calle, al lado de un hotel.
● Muy amable. Gracias.

2.
● Perdone, ¿el centro comercial Delicias?
● Sí, está en esta calle, entre el museo y la estación de autobuses.
● Muchas gracias.

3.
● Perdona, ¿sabes si hay un banco cerca de aquí?
● Sí, hay uno en la calle Granada, al lado del parking.
● Ay, es verdad. Gracias.

4.
● Perdona, ¿hay una farmacia por aquí?
● Sí, creo que hay una en la Avenida Carlos V, enfrente del hotel.

5.
● Oiga, ¿sabe dónde está el restaurante El Jardín?
● Sí, mire, ahí en la esquina, al lado de la comisaría de Policía.
● Gracias.

UNIDAD 7

5. > pista 38

● Oficina de Atención al Ciudadano. Buenos días. Le atiende María Rosa. ¿En qué puedo ayudarle?
● Hola. Buenos días. Mire, necesito saber a qué hora abren la oficina de turismo. Es que necesito recoger unos folletos para unos amigos que vienen de Alemania.
● Abren todos los días excepto los lunes. De 10 a 2 y de 4 a 7 de la tarde.
● Dice usted que el lunes cierran... Vaya, justo pensaba ir el lunes. Bueno, pues muchas gracias. Oiga, y... ¿el zoo lo cierran también los lunes?
● A ver, un momento... Sí, también cierra los lunes por descanso del personal.
● ¿Sabe usted el horario?
● A ver, el zoo... de 10 de la mañana a 6 de la tarde.
● Muy bien, gracias. Perdone, otra pregunta.
● Sí. Dígame.
● ¿Sabe usted si el polideportivo municipal abre los domingos?
● Un segundo... Sí, abre los domingos de 8 de la mañana a 10 de la noche.
● ¿Y el resto de la semana?
● Igual que los domingos. También de 8 de la mañana a 10 de la noche.
● ¿Y no cierran a mediodía?
● No, no cierran. ¿Necesita alguna otra información?
● Eh... No, creo que no... Ah, espere, ¿ustedes

tienen información sobre la Cámara de la Propiedad Urbana?
● Sí, ¿también desea saber el horario?
● Sí, por favor.
● Pues la Cámara tiene horario de oficina: de lunes a viernes, de 10 de la mañana a 2 y, por la tarde, de 4 a 6.
● Pues, muchísimas gracias.
● Adiós.
● Adiós.

9. > pista 39

1. jugamos
2. pide
3. hacen
4. repito
5. te acuestas
6. cierra
7. empezáis
8. repetís
9. cierras
10. hago

12.

1. > pista 40
● Hola, buenos días. ¿Dígame?
● Buenos días. Por favor, ¿el señor Olmos?
● ¿De parte de quién?
● De María de la Torre.
● Sí, un momento, por favor.

2. > pista 41
● Editorial Cosmos, ¿dígame?
● Buenas tardes. Quería hablar con Marta Robles.
● Pues mire, en este momento está en una reunión. ¿Puede llamar más tarde?
● Muy bien. De acuerdo.

3. > pista 42
● ¿Hola?
● Hola, ¿está Rodrigo?
● Sí, soy yo.
● Ah, hola, ¿qué tal? Soy Jaime.

4. > pista 43
● ¿Diga?
● Hola, ¿está Agustín?
● No, en este momento no está.
● ¿Sabes a qué hora vuelve?
● No sé, dentro de una hora aproximadamente.
● Vale, pues llamo más tarde. ¡Gracias!

5. > pista 44
● ¿Dígame?
● Hola, buenas tardes, quería hablar con José Montero, del Departamento de Marketing.
● Sí, un segundo. Ahora mismo le paso.
● Muy bien. Gracias.

6. > pista 45
● ¿Sí?
● ¿Carmen?
● Sí, soy yo.
● Hola, soy Margarita. ¿Cómo estás?

15. > pista 46

1. ¿Qué día es hoy?
2. ¿Qué haces normalmente los sábados por la mañana?
3. ¿A qué hora terminas de trabajar?
4. ¿A qué hora te levantas?
5. ¿Qué día de la semana trabajas más?
6. ¿Estudias español por la noche?
7. ¿Vas al trabajo normalmente en coche?
8. ¿Tomas café por la mañana?
9. ¿Haces deporte?
10. ¿Sales por la noche los fines de semana?
11. ¿A qué hora te acuestas entre semana?
12. ¿Dónde comes a mediodía?

17. > pista 47

Quito
poca
pipa
taco
pico
ocupa
copa
gato
Pepa
pato
tapa
toca

18.

1. > pista 48
¡Hola! No estoy en casa, o a lo mejor estoy en la ducha, o igual hasta estoy durmiendo. Bueno, lo que sea, pero no puedo atender el teléfono. O sea que ya sabes, deja tu mensaje después de la señal y te llamaré en cuanto pueda, ¿vale? Hasta luego.

2. > pista 49
Ha llamado a casa de los Pérez-Revuelta. En este momento no podemos atenderle. Si quiere, nos puede dejar un mensaje después de la señal.
Si es urgente, también puede llamarnos al móvil: 616331951. Gracias.

3. > pista 50
Ha llamado usted a Torres y Asociados. Nuestro horario de atención al público es de 10 a 2 y de 4 y media a 7 y media. Si quiere usted enviar un fax, puede iniciar la transmisión. Si quiere dejar un mensaje, hágalo después de oír la señal. Gracias.

UNIDAD 8

11. > pista 51

● ¿Por qué no cenamos juntos esta noche?
● Ah, vale, muy bien. ¿Tienes alguna idea? ¿Qué propones?
● Mira, hay un restaurante aquí al lado donde preparan un pescado buenísimo.
● ¿Pescado?
● Ay, sí, es verdad, que eres alérgica al pescado.

● Pues, sí, lo siento. Ya sé que a ti te gusta mucho.
● Vaya. ¡Qué pena! Con lo bonito que es el restaurante. Tiene un salón enorme y la decoración es espectacular. Un poco caro, eso sí, pero vale la pena.
● No sé. Mira, yo prefiero un restaurante más normal, más sencillo. Aquí cerca hay un restaurante vegetariano que está muy bien, a mí me gusta mucho.
● Ah, entonces eres vegetariana.
● No, carne sí como, pero poca. Es que no me gusta mucho.
● Pues a mí, la verdad, los restaurantes vegetarianos no me gustan demasiado. ¿Y un restaurante un poco más exótico? Uno asiático... suelen preparar platos vegetarianos.
● Ay, no sé, no sé, la verdad...

18. > pista 52

peso
fino
fila
pelo
modo
poca
harto
misa
bota
bala

19. > pista 53

1. ¿Qué te gusta más el pescado, la verdura o la carne?
2. No me gusta la playa.
3. ¿Te apetece un café?
4. ¿La tortilla española lleva patatas?
5. Me encanta comer fruta.
6. ¿Qué prefieres: levantarte temprano y salir del trabajo pronto o dormir un poco más y salir del trabajo más tarde?
7. ¿Por qué no vamos al cine esta tarde?
8. ¿Qué te gusta más: comprar en una tienda real o en una tienda virtual?

UNIDAD 9

1. > pista 54

PC
catering
dossier
máster
stand
chárter
Internet
jersey
stock
marketing
free lance
chef
kilo
broker
jazz

chic
leasing
hobby
briefing
parking
mobbing
cómic
holding
jet set
blog

14.

1. > pista 55
● Oye, Juanjo, ¿y Elena?
● ¿Elena? ¿No está en su despacho?
● No, no está.
● Ah, pues... Si no está en su despacho, seguro que está organizando la próxima feria de Valencia con la recepcionista. ¿No es la semana que viene?

2. > pista 56
● ¿Sí?
● Hola, perdona. ¿Está ahí Elena contigo?
● No, qué va. Aquí no está.
● Es que la estoy buscando y no...
● Pues a lo mejor está en la sala de juntas hablando con la señora Fernández. Creo que tiene que hablar de un proyecto con ella.
● Gracias. Pues llamo a la sala de juntas.

3. > pista 57
● ¿Sí?
● ¿Señora Fernández?
● Sí, soy yo.
● Hola, soy Carolina. Perdone, ¿está Elena con usted? Es que tengo que hablar con ella y no la encuentro...
● No, no la he visto, pero sí que he visto al señor Ruiz esta mañana. Y creo que Elena lleva uno de sus proyectos, ¿no?
● Sí, creo que sí.
● Pues me imagino que está comiendo con el señor Ruiz.
● Ah, bueno.

18.

A. > pista 58
1. Los llevas cuando te vistes de manera formal.
2. Las usas en verano para protegerte del sol.
3. La usamos para organizarnos el trabajo.
4. Lo necesitamos para viajar al extranjero.
5. Los hay cortos, largos, de vestir, de deporte...
6. La gente que vive lejos de la ciudad lo necesita para ir al trabajo.
7. Las usas en verano para ir cómodo y fresco.
8. La usas para pagar.

B.
1. > pista 59
● Los llevas cuando te vistes de manera formal.
● Los pantalones.
● No. Los llevas en los pies.
● ¡Ah! Los zapatos.
● Sí.

2. > **pista 60**
● Las usas en verano para protegerte del sol.
● Las gafas de sol, claro.
● Muy bien.

3. > **pista 61**
● La usamos para organizarnos el trabajo.
● ¿La agenda?
● Exacto.

4. > **pista 62**
● Lo necesitamos para viajar al extranjero. Seguro que lo sabes. Es muy fácil.
● Ah, ya está.
● ¿Qué es?
● El pasaporte, ¿no?
● Sí. Muy bien.

5. > **pista 63**
● Los hay cortos, largos, de vestir, de deporte...
● ¿Es una prenda de vestir?
● Sí.
● ¿Los pantalones?
● Muy bien.

6. > **pista 64**
● La gente que vive lejos de la ciudad lo necesita para ir al trabajo.
● Entonces es un medio de transporte.
● Sí, ¿pero cuál?
● El coche.
● Ajá.

7. > **pista 65**
● Las usas en verano para ir cómodo y fresco.
● ¿En verano? Ah, vale, las sandalias.
● Sí, muy bien.

8. > **pista 66**
● La usas para pagar.
● ¿La usas para pagar? Ah, la tarjeta de crédito.

Comprueba tus conocimientos
Unidades 7, 8, 9

3.

1. > **pista 67**
● ¿Hola?
● ¿Sra. Medina?
● Sí, soy yo.
● Hola. Soy Javier Valdés.
● Hola. Buenos días.
● Buenos días. La llamo porque necesito hablar con usted del último pedido.
● Ah, sí.
● ¿Qué tal el martes?
● Ay, el martes no puedo. Pero si quiere podemos vernos el miércoles.
● ¿El miércoles por la mañana?
● De acuerdo. ¿A las diez?
● Muy bien, a las diez. ¡Hasta el miércoles!

2. > **pista 68**
● Cruz y asociados. ¿Dígame?
● Hola, buenos días. Con el señor Cruz, ¿por favor?
● ¿De parte de quién, por favor?

● De Javier Valdés.
● Un momentito.
● ¿Sí?
● Hola Francisco, soy Javier.
● ¡Hombre, Javier! ¿Qué tal?
● Bien. ¿Y tú? ¿Cómo va todo?
● Pues bien también.
● Oye, que quería pasarme por tu oficina para hablar de unas cosas.
● ¡Uy! Esta semana me va un poco mal. El jueves tengo una feria.
● ¿Y por qué no quedamos mañana miércoles?
● Hombre. Bueno, venga, mañana. Pero tiene que ser a las nueve.
● ¿De la mañana?
● Sí.
● Perfecto. Me paso por tu despacho mañana a las nueve.

3. > **pista 69**
● ¿Sí?
● ¿Jorge?
● Sí.
● Hola, soy Javier.
● Hola.
● Mira, tenemos que reunirnos para preparar la reunión con los directivos.
● Oye, hoy no puedo, ¿eh? Tengo mucho trabajo.
● Pues mañana.
● No, mejor el lunes por la mañana.
● Pues el lunes. ¿A qué hora?
● ¿A las doce?
● De acuerdo.

4. > **pista 70**
● ¿Dígame?
● ¿Con el señor Pérez?
● Sí, soy yo.
● Hola. Soy Javier Valdés. Quería hacerle una visita para hablar con usted sobre un nuevo producto. ¿Cuándo le iría bien?
● Esta semana no puedo. Tiene que ser el jueves día 15 por la tarde.
● Muy bien. ¿A qué hora?
● Un momento... Podríamos vernos a las cinco, por ejemplo.
● Perfecto. Hasta el jueves.

5. > **pista 71**
● ¿Sí?
● Oye, Mónica, soy Javier. Necesito hablar contigo sobre la próxima campaña de promoción. ¿Qué tal el viernes por la mañana?
● ¡Ah, sí! Muy bien.
● ¿A las ocho?
● ¿De la mañana?
● Sí.
● ¿Y un poco más tarde? ¿A las nueve?
● Bueno. El viernes a las nueve.
● Perfecto.

UNIDAD 10

9.

1. > **pista 72**
● ¡Hola, Manuel! ¿Qué tal? ¿Ha terminado ya la reunión?

● Sí, hemos terminado ahora mismo.
● Bueno. ¿Y qué tal?
● Pues bastante mal... Hemos estado discutiendo toda la mañana y no hemos llegado a un acuerdo. Nos vamos a reunir otra vez pasado mañana.

2. > **pista 73**
● ¡Juana! ¡Qué sorpresa! Pero ¿qué tal por Marruecos?
● Muy bien. Un viaje muy interesante. Y a los niños les ha encantado.

3. > **pista 74**
● Rosario, ¿has ido a la fiesta de Blas?
● Sí.
● Oye, ¿y qué tal?
● Fatal, aburridísima...
● ¿Y eso?
● Pues todo, chica, la música, la gente, la comida, la casa...

4. > **pista 75**
● ¿Y qué tal os ha ido el fin de semana?
● Ah, muy bien...
● Hemos ido de excursión toda la familia, once en total, pero muy bien... Ha sido muy divertido.

5. > **pista 76**
● ¡Mario!
● Ah, hola.
● Hola, ¿qué? ¿Qué tal el examen?
● Regular. Ha sido muy difícil y me he puesto muy nervioso.

11. > **pista 77**

1. ¿Qué has hecho hoy?
2. Ha sido un día agotador.
3. ¿Ya has acabado?
4. ¿Qué vas a hacer?
5. ¿Qué tal el viaje?
6. No he ido nunca.
7. Le he invitado a comer.

15.

A. > **pista 78**
1. Este año los beneficios han aumentado un 50%...
2. Este año han contratado a más gente...
3. Para aumentar los beneficios...
4. Hemos invertido mucho dinero en el nuevo sistema informático...
5. Este año hemos aumentado nuestra producción.
6. El número de vuelos nacionales ha disminuido...
7. La empresa está sufriendo una fuerte crisis...
8. Tenemos nuevos competidores...

B. > **pista 79**
1. Este año los beneficios han aumentado un 50%, y por eso podemos invertir más en publicidad.

2. Este año han contratado a más gente porque ha aumentado la producción.

3. Para aumentar los beneficios, primero, hay que reducir los gastos.

4. Hemos invertido mucho dinero en el nuevo sistema informático y, sin embargo, los problemas continúan.

5. Este año hemos aumentado nuestra producción debido a la gran demanda del mercado.

6. El número de vuelos nacionales ha disminuido, en cambio, el número de vuelos internacionales ha aumentado.

7. La empresa está sufriendo una fuerte crisis y sin embargo, los sueldos de los directivos han aumentado un 20%.

8. Tenemos nuevos competidores y por eso tenemos que bajar los precios.

UNIDAD 11

3. > pista 80

● Viajes Marisol, buenos días. ¿Dígame?
● Buenos días. Quería reservar un billete para Málaga.
● Muy bien. ¿Para qué día?
● La ida para el día 7.
● ¿Con qué compañía?
● Cualquiera me va bien.
● Pues a ver... Con Click Air está todo completo, pero con Spanair sí hay plazas. Hay un vuelo a las 10 de la mañana.
● Perfecto.
● ¿Y la vuelta? ¿Para cuándo?
● Para el día 9.
● A ver... Sí, hay plazas.
● ¿Cuándo sale el último vuelo?
● A las 9 de la noche.
● Muy bien. Pues este. Ah, también necesito un hotel.
● Tenemos una oferta con el Hotel Málaga Playa. Es un cuatro estrellas. La habitación individual cuesta 100 euros, desayuno incluido.
● Perfecto, pues hágame la reserva.

6. > pista 81

1. Oye, llámame esta tarde. Necesito el presupuesto urgentemente.
2. Dígale que ha llamado el señor Jiménez.
3. Deme su dirección, por favor.
4. Escríbeme una postal, ¿eh?
5. Espere un momento, por favor. Ahora mismo le paso la llamada.
6. Clara, pásame la grapadora, por favor.

13. > pista 82

1. año
2. silla
3. mucho
4. tuyo

5. baño
6. chino
7. leyendo
8. campaña
9. mañana
10. niño
11. calle
12. playa
13. billete
14. despacho
15. compañero
16. apellido
17. noche
18. pequeño

23.

1. > pista 83

● Oye, Laura, ¿puedes llevarle estas cartas a Lola de Contabilidad?
● Sí, claro. Esta mañana mismo se las llevo.

2. > pista 84

● Perdona. ¿Podrías darle mi teléfono a Gerardo?
● Un momento, ahora mismo se lo doy.

UNIDAD 12

5. > pista 85

1. teléfono
2. prácticas
3. anónimo
4. informática
5. último
6. catálogo
7. muchísimo
8. tímido
9. número
10. técnico
11. simpático
12. clásico

14. > pista 86

"Una historia muy dulce"

Todo empezó en 1957, cuando Enric Bernat, fundador y presidente de Chupa Chups S.A., tuvo la idea del caramelo con palo para que los niños no se ensuciaran las manos. Al año siguiente, Chupa Chups nació en la fábrica de Asturias, en el norte de España, con siete sabores diferentes.

En 1967 se abrió otra fábrica cerca de Barcelona y la primera filial fuera de España, en Perpiñán (Francia). Dos años después, la empresa decidió hablar con Salvador Dalí, quien creó el famoso logotipo de Chupa Chups.

En 1979 el número de chupa-chups vendidos alcanzó la cifra de 10 000 millones y nueve años más tarde la cifra fue doblada: 20 000 millones. Tras abrir fábricas en Japón, Estados Unidos, Alemania y otros países, Chupa Chups empezó

su producción en Rusia, en el año 1991. Fue esta fábrica la que suministró los primeros chupa-chups consumidos en el espacio, enviados a la estación MIR a petición de los cosmonautas.

En 1993, con 30 000 millones de chupa-chups vendidos en todo el mundo, Enric Bernat hizo realidad su sueño: producir chupa-chups en China. Al cabo de cuatro años, la empresa ganó el Premio a la Excelencia Empresarial, reconociéndose así toda una labor dedicada a endulzarnos la vida.

16. > pista 87

En 1977, y tras casi 40 años de dictadura, se celebraron las primeras elecciones democráticas en España.

Al año siguiente, en 1978, se aprobó por referéndum la Constitución española, un documento que supuso el reconocimiento de las autonomías, la aceptación de la monarquía, la supresión de la pena de muerte y la consagración de los derechos y las libertades de los ciudadanos.

El 23 de febrero de 1981 un grupo de guardias civiles encabezados por el teniente coronel Antonio Tejero tomaron el Parlamento. El intento de golpe de Estado fracasó gracias a la actuación del Rey.

En 1982 se celebraron los Mundiales de Fútbol con el triunfo de Italia.

Tres años después, en 1985, y tras una larga y compleja negociación, España firmó el tratado de adhesión a la CEE (Comunidad Económica Europea), la actual Unión Europea.

Al cabo de siete años, en 1992, se celebraron dos grandes acontecimientos en dos ciudades españolas: la Exposición Universal en Sevilla y los Juegos Olímpicos en Barcelona.

En 1996, y después de casi catorce años en la oposición, el Partido Popular ganó las elecciones generales.

El 11 de marzo del 2004 España sufrió el peor atentado terrorista de su historia. Se produjeron explosiones en cuatro trenes de la red de cercanías de Madrid. Murieron 191 personas y hubo más de 1700 heridos.

Dos años más tarde, en el 2006, el deporte español consiguió uno de sus mayores triunfos: la selección de baloncesto, liderada por Pau Gasol, ganó la medalla de oro en el Mundial celebrado en Japón.

Comprueba tus conocimientos
Unidades 10, 11, 12

3. > pista 88

● Hola. Buenas tardes. Hoy en nuestro programa contamos con la presencia de Carmen Fernández, propietaria junto con su hermana Lola de la cadena de librerías El Parnaso. Hola, Carmen, ¿Cómo estás?

● Bien, muy bien. Gracias.

● Carmen, explícanos cómo has conseguido ser una de las empresarias con más éxito de nuestro país.

● Te aseguro que no ha sido nada fácil. Pero, bueno, básicamente, trabajando mucho. En realidad tengo que decir que la cadena de librerías fue sobre todo idea de mi hermana Lola.

● Ah, ¿sí?

● Sí, ella ya llevaba muchos años trabajando en editoriales y yo, en cambio, estaba más centrada en el mundo del arte.

● Ah, el mundo del arte. Cuéntanos.

● Bueno, en realidad desde pequeña que me ha interesado mucho el teatro, por eso cuando acabé el bachillerato, me fui a Perú, a Lima, a hacer un curso de interpretación. Allí entré en contacto con diversos artistas plásticos que colaboraban en nuestro espectáculo...

● Mmm...

● Y bueno, allí conocí también a un galerista norteamericano y dejé el teatro por la pintura. Me fui a vivir a Nueva York con él y empecé a trabajar como relaciones públicas en su galería. Eso fue en el año 90.

● Muy interesante. Y entonces, ¿cuándo volviste a España?

● Pues mira, estuve ocho años en Nueva York trabajando en la galería, desde 1990 hasta 1998, o sea que, pues eso, volví a Madrid en el 98.

● ¿Y por qué volviste? ¿Cuál fue la razón?

● Volví porque me ofrecieron la dirección de la Fundación Jóvenes Artistas. En ese momento para mí era un reto muy apetecible. Y lo acepté. Todo pasó muy rápido. Me llamaron un martes a Nueva York y al cabo de dos semanas ya empecé a trabajar en la Fundación, aquí en Madrid.

● ¿Y la idea de la librería? ¿Cómo aparece?

● Bueno, yo siempre tuve la idea de tener mi propia empresa y, junto con mi hermana, empezamos a pensar en proyectos. Como ella tenía mucha experiencia en el mundo de los libros, pensamos que una librería con actividades culturales, sala de exposiciones... era una buena idea...

● Y realmente así fue. Os concedieron el Premio a la Iniciativa Empresarial en el 2007.

● Sí, el mismo año que abrimos la primera librería. No me olvidaré nunca.

Notas